Joann

Joanna écrit ses romans dans sa maison située en plein
bayou, non loin de La Nouvelle-Orléans. Elle puise son
inspiration dans les pages « Faits divers » des journaux,
mais aussi grâce à ses contacts à la brigade criminelle.
Elle est également professeur à l'université et animatrice
de plusieurs ateliers d'écriture.

Promesses de sang

JOANNA WAYNE

Promesses de sang

INTRIGUE

éditions **Harlequin**

Cet ouvrage a été publié en langue anglaise
sous le titre :
ATTEMPTED MATRIMONY

Traduction française de
BECKIE LEESHA

HARLEQUIN®

est une marque déposée du Groupe Harlequin
et Intrigue® est une marque déposée d'Harlequin S.A.

Prologue

Gloria Dalton prit Nicole dans ses bras et l'embrassa chaleureusement, dans un bruit de satin froissé.

— Quelle fête ! Tout est magnifique, à commencer par la mariée ! Tu es superbe, Nicole !

— Merci, tante Gloria.

— Imagine la joie de ton père, s'il était encore parmi nous. Il serait tellement fier de sa fille. Et ton mari, Malcomb... Quel gentil garçon ! Brillant, et tellement attentionné ! Un cocktail de qualités plutôt rare, de nos jours.

— C'est bien vrai, lança Janice Dalton qui se joignait à elles. Je crois bien, chère mère, que Nicole vient de mettre le grappin sur le dernier célibataire de Shreveport qui en vaille la peine. Et me voilà sans proie.

Nicole passa le bras autour des épaules de sa cousine.

— Ah bon, tu serais prête à te consacrer à un seul homme ?

— Eh, on ne sait jamais...

Gloria remonta ses mains sur les hanches.

— Ma chère fille, quand bien même je devrais vivre centenaire...

— Merci, maman, de ton optimisme ! interrompit Janice en riant.

Gloria, happée par une invitée, les laissa et, aussitôt, le sourire de Janice disparut.

— Bon, dis-moi ce qui se passe, dit-elle en fixant Nicole droit dans les yeux.

— C'est un mariage.

Janice continua à scruter le visage de sa cousine.

— Je ne parlais pas de ça. Où est cet éclat de bonheur censé se refléter sur le visage de la jeune mariée ?

Nicole lui adressa un sourire de bonheur qu'elle espérait convaincant, mais au fond elle savait que Janice ne serait pas dupe. Elles avaient grandi ensemble, et en plus du lien familial qui les unissait, elles étaient les meilleures amies du monde.

— Qu'est-ce qui pourrait ne pas aller ? hasarda Nicole.

— Je n'en sais rien. C'est peut-être l'idée de passer le restant de tes nuits avec le même homme qui t'effraie. Moi, c'est sûr, ça me rongerait.

— Je me suis engagée à faire ma vie avec un homme qui m'aime.

— C'est exactement ce que je disais. D'un autre côté, je dois reconnaître que si l'on doit absolument se consacrer à un seul homme, autant qu'il soit de la veine du Dr Malcomb Lancaster.

— Ravie que tu approuves mon choix.

— Sans compter que le prince charmant n'a plus de famille. Ce qui signifie pas de beaux-parents. Quelle chance !

— Je suis sûre que les parents de Malcomb auraient été très gentils avec moi. Leur fils l'est tellement…

— Alors, retour à ma question de départ. Qu'est-ce qui ne va pas ?

— Tu remets ça ?

— Et comment !

Nicole laissa échapper un soupir et, d'un coup d'œil, vérifia que personne ne pouvait l'entendre.

— Je vais te paraître ridicule, mais voilà : tout est si parfait que j'ai peur que cela ne présage le pire.

Janice posa les mains sur les épaules de Nicole.

— Nicole, ma chérie, quelle drôle d'idée ! Tu ferais mieux de penser à ton voyage de noces ! L'amour jour et nuit sur une plage grecque, c'est une idée autrement stimulante...

— Et qui me va très bien, conclut Nicole en cherchant à capter le regard rassurant de Malcomb. Mais je...

Un bruit de verre cassé l'interrompit. Suivi immédiatement par des gémissements. Ceux de son frère.

— Hou-hou, hou-hou, répétait Ronnie d'une voix monocorde.

Les musiciens continuaient à jouer, mais les danseurs s'étaient immobilisés sur la piste, les yeux tournés vers le jeune homme. Nicole, soulevant sa robe de satin, se précipita vers son frère.

— S'il vous plaît, écartez-vous, dit-elle en essayant de garder son calme.

La foule se fendit en deux et elle put voir la cause du problème. Le sommet de la pièce montée avait chaviré sur la table, provoquant la chute de plusieurs flûtes de champagne sur la parquet de l'élégante salle de bal.

Ronnie s'était sans doute cogné dans la table. A moins que la décoration du gâteau, tellement élaborée, ne l'ait fasciné au point qu'il avait tenté de le toucher. A genoux par terre, la tête baissée, Ronnie faisait des mouvements de balancier, une réaction inquiétante qui signalait un état d'extrême détresse. Depuis sa naissance, vingt et un ans auparavant, il souffrait d'autisme. Nicole savait que

9

dans une situation comme celle-ci, il devenait parfois incontrôlable.

Quelqu'un marcha à ce moment sur le pan arrière de sa robe. Elle se retourna nerveusement et, quand elle eut dégagé le tissu, vit avec soulagement que Malcomb s'était approché de Ronnie. Son soulagement fut de bien courte durée. La voix de Malcomb lui glaça le sang.

— Regarde ce que tu as fait, Ronnie !

Il attrapa le garçon par le col de sa chemise et l'obligea à redresser la tête à la hauteur de la table, où s'étalait, sur la nappe rose, un chaos de choux crémeux et de fleurs en sucre.

Ronnie battit des bras comme un oiseau enlisé. Tentative bien inefficace pour échapper à la poigne de Malcomb. Nicole n'en croyait pas ses yeux. Elle se rua en avant, poussant les invités stupéfaits par la scène.

— Lâche mon frère, tout de suite ! s'écria-t-elle d'une voix fébrile mais déterminée. Je m'en occupe.

Malcomb leva la tête vers elle. Ses yeux noirs, brûlant de colère, s'arrêtèrent sur elle un instant. Menaçants. Et, pendant une fraction de seconde, elle crut qu'il allait la frapper. Ce fut alors qu'elle fut la proie d'un sentiment étrange et incompréhensible qui la déchira intérieurement.

— Ne nous affolons pas, intervint l'oncle John qui sortait de la foule. Ça n'est pas grave.

Le père de Janice arrivait à point pour prendre en main la situation. Désormais, on n'entendait plus rien dans la salle de bal, à part les frottements des gestes saccadés de Ronnie, qui se tenait les oreilles entre les mains.

Un cauchemar. Le temps s'était arrêté sur une scène de cauchemar, qui venait se substituer à une réalité jusque-là idyllique. Puis vint le moment où le mauvais rêve s'envola aussi soudainement qu'il avait surgi. Le visage de Malcomb se détendit, et ses lèvres esquissèrent un sourire.

— Tu as raison, John, il n'y a pas de mal.

Il posa une main paternelle sur l'épaule de Ronnie.

— Ce n'est qu'un gâteau, Ronnie. Rien d'important. Excuse-moi de m'être emporté contre toi.

Ronnie gardait toujours les mains appuyées sur ses oreilles, mais son mouvement de balancier diminua d'amplitude.

Malcomb s'avança vers Nicole et, lui prenant la main, la porta à ses lèvres. La colère qui avait noirci ses pupilles s'était dissipée, mais alors qu'elle lui rendait son regard, elle eut l'impression de fixer un inconnu.

— Je suis désolé, Nicole, mais je voulais tellement que notre mariage soit parfait, comme l'amour que j'ai pour toi. Je ne sais pas ce qui m'a pris... J'ai dû perdre la tête. Peux-tu me pardonner ?

Dans la foule des invités, l'atmosphère changea du tout au tout, et les intonations exprimèrent un sentiment favorable à Malcomb. Tout le monde voulait pardonner et oublier. Elle aussi, sans doute, s'apprêtait à le faire, mais une sorte de ressentiment inexpliqué l'en empêchait.

— Je dois m'occuper de Ronnie, murmura-t-elle d'une voix tendue.

— Je comprends. Mais je suis là, mon amour, si tu as besoin de moi.

Et il s'engouffra dans la foule. En avouant sa faiblesse, il avait augmenté encore l'estime qu'on lui portait.

Nicole, elle, ne s'était jamais sentie aussi seule. Elle s'approcha de Ronnie. Après quelques phrases rassurantes, il accepta de se laisser guider à l'écart, loin de la table, dans un coin tranquille où il pourrait se calmer.

Elle n'aurait pas dû le faire participer à la réception. Chaque fois que sa routine était bouleversée et ses repères

11

modifiés, il se sentait mal à l'aise. Mais c'était si important qu'il soit présent à son mariage ! Ce devait l'être pour lui aussi, d'ailleurs.

— Cassé ton gâteau, cassé ton gâteau, répétait-il en reprenant son mouvement de balancier.

Nicole souffrait pour lui. Si seulement elle avait pu comprendre ce qui se passait dans son cerveau, derrière cet épais voile opaque qui le coupait du monde !

— Tu ne l'as pas cassé, Ronnie. Moi, ce gâteau, c'est maintenant que je le préfère. Il est plus drôle avec ses fleurs disposées de cette manière.

— Drôles, les fleurs.

— Oui, elles sont drôles.

Elle le prit dans ses bras et le serra fort contre elle. Il répondit en l'entourant furtivement de ses bras. Il était rare qu'il agisse ainsi. Le cœur de Nicole fit un bond. Ce signe d'amour de son frère la réconforta. Elle en avait bien besoin.

— Tout va bien ?

Elle leva la tête et vit son oncle, le visage inquiet. John était le frère cadet de son père, et il lui ressemblait beaucoup physiquement. Pourtant, ils avaient des personnalités opposées. John, de nature timide, faisait preuve d'une modestie exagérée, alors que le sénateur Gerald Dalton, lui, elle s'en souvenait, avait toujours aimé diriger et n'avait pas ménagé ses efforts pendant toute sa vie, pour rester au centre de l'attention.

— Oui, tout va bien, répondit-elle.

— Est-ce qu'il arrive souvent à Malcomb de perdre les pédales comme ça ?

— C'est la première fois que je le vois réagir ainsi.

— Bon, déclara son oncle, visiblement soulagé. Ne t'en fais pas. Un mariage, c'est toujours très stressant pour le marié.

— Et pour la mariée ?

— C'est exactement pareil, dit-il en lui posant la main sur l'épaule. Ronnie est un peu difficile à accepter au début, pour ceux qui ne le connaissent pas. Mais Malcomb est bon. Et il t'aime.

— Je sais.

Et elle n'en doutait pas. Les serments avaient été prononcés. Le mariage, déclaré. Le contrat, signé. Il n'était plus temps de douter.

— Drôles, les fleurs, fit Ronnie de nouveau.

— Oui, très drôles, répondit-elle.

Mais ce n'était pas l'envie de rire qui l'étouffa soudain.

1.

Dix mois plus tard

Nicole parcourait les titres de la première page du *Shreveport Times* tout en savourant son deuxième café du matin.

« Le nouveau maire mis en cause. Taux de chômage local en hausse. Aucune piste dans l'affaire du tueur en série... »

— Les nouvelles sont encore très bonnes, ce matin ! ironisa-t-elle à l'intention de Malcomb, qui entrait dans la cuisine en finissant de nouer sa cravate. Même la police est dans l'impasse, avec cette affaire de tueur en série.

— Trois femmes en huit mois, répondit-il. Et les policiers n'ont toujours aucun indice. Ça veut tout dire sur leur efficacité, tu ne crois pas ?

— Ça ne veut dire qu'une chose : qu'il y a un tueur en liberté dans notre ville.

Il émit un petit rire cynique.

— Et qu'il est plus malin que les flics qui sont à ses trousses.

14

— Malin ? Je dirais plutôt malade ! Ça me fait peur de penser qu'on peut tomber dessus sans le savoir, n'importe où…

— Je ne m'en ferais pas trop, à ta place. Les femmes qu'il a tuées l'ont peut-être bien cherché…

— Quoi ? Qu'est-ce que tu racontes ? Personne ne mérite de mourir comme ça !

— Non, bien sûr. Mais il ne faut pas être très futée pour fréquenter les bars de nuit et s'embarquer avec le premier venu.

Il déposa un baiser tendre sur sa nuque.

Elle aimait beaucoup son allure, le matin, quand il arrivait dans la cuisine, rasé de frais, ses cheveux blonds coiffés en arrière, enfilant sa veste de costume avec un sourire de gagnant. C'est là qu'il ressemblait le plus à l'homme dont elle était tombée amoureuse.

— Couvre-toi quand tu iras dehors, aujourd'hui, dit-il en s'arrêtant devant la cafetière pour se servir une dernière tasse. Ils annoncent une baisse de température pour cet après-midi.

— Je ne pense pas sortir aujourd'hui.

— Ah bon ? Je croyais que tu t'étais portée volontaire pour la fête de la Rivière Rouge ?

— C'est demain. Au fait, pour le dîner de ce soir, j'avais l'intention de préparer une bisque de homard, comme tu les aimes.

Il secoua la tête.

— Ne te donne pas tant de mal, ma chérie. Je prendrai un petit truc vite fait à l'hôpital. Je vais passer la journée au bloc, et ensuite j'ai quelques patients à aller voir en soins intensifs. Je rentrerai tard.

Il lui adressa un sourire affectueux. Visiblement, il avait lu dans ses pensées.

— Je préférerai passer la soirée avec toi. Mais c'est le métier de chirurgien qui veut ça.

— Apparemment.

Mais, pendant les premiers mois de leur mariage, Malcomb s'était montré beaucoup plus disponible.

— Finalement, je vais peut-être appeler Janice pour voir si elle peut déjeuner en ville avec moi ce midi.

— Ah, je croyais qu'elle était encore partie en vacances...

— Elle est allée voir ses fournisseurs à Dallas. Pour sa boutique. Mais tu as sans doute raison. Elle ne doit pas être encore rentrée.

— Pas plus mal. Je la trouve un peu dévergondée pour la femme mariée que tu es désormais.

— Je te rassure, on ne serait pas allées faire la tournée des bars !

— Sérieusement, j'ai l'impression qu'elle essaye de semer la discorde dans notre ménage et qu'elle est jalouse de notre bonheur alors qu'elle, elle est toujours seule.

Faux.

Janice n'était jamais seule. Mais inutile de contredire Malcomb. De plus, c'était plutôt elle qui sentait la jalouse dans l'histoire. Janice s'épanouissait en travaillant pour sa boutique toute la journée. Pendant ce temps, Nicole gaspillait son énergie à ne rien faire.

Elle hésita. Fallait-il ou non risquer d'entamer la journée par une fausse note ? Elle décida pour l'affirmative :

— J'ai bien réfléchi, et j'ai décidé de reprendre mes études à l'université, commença-t-elle en portant sa tasse à l'évier. Je vais essayer de m'inscrire aux cours du second semestre.

Ce n'était pas la première fois qu'elle abordait le sujet. Et chaque fois, Malcomb s'était énervé.

16

Elle prit les devants, car à voir son expression il ne réagirait pas autrement ce matin-là.

— Je t'en avais parlé avant notre mariage... Je veux obtenir mon diplôme d'éducatrice spécialisée pour m'occuper d'enfants autistes. C'est le métier que j'ai toujours voulu faire.

— Alors pourquoi as-tu abandonné tes études, quand nous nous sommes fiancés ?

— Parce que mon père venait de mourir. J'avais des décisions à prendre et je ne voulais pas rester loin de Ronnie. Ensuite, je me suis occupée d'organiser le mariage, on s'est installés... Mais, dans mon esprit, ça a toujours été une interruption d'études. Pas un abandon.

Il lui décocha un regard sceptique tout en avalant une gorgée de café.

— Est-ce que c'est ma punition parce que je rentre tard du travail ?

— Non.

Elle détestait la façon dont il retournait toujours la situation en sa faveur. Et puis, pour quelle raison était-il si réticent à l'idée qu'elle reprenne ses études ? Il lui consacrait de toute façon tellement peu de temps...

— Cela fait dix mois que nous sommes mariés. Il est temps que je reprenne le cours de ma vie.

Il roula de grands yeux.

— De *ta* vie ? Pourquoi ? *Notre* vie ne te satisfait déjà plus ?

— Ça n'a rien à voir. J'ai besoin d'autre chose.

— Exactement les mots qu'un mari rêve d'entendre, alors qu'il s'apprête à partir au travail pour passer des heures dans un bloc opératoire, à effectuer un triple pontage sur un sexagénaire !

17

— C'est précisément là que je voulais en venir, Malcomb. Tu es chirurgien, toi, et très renommé. Tu sauves des vies. Et pendant ce temps, moi, je me tourne les pouces. Ou presque.

Il posa sa tasse sur le comptoir et lui prit les deux mains.

— Contrairement à ce que tu crois, je te comprends, Nicole. Je passe beaucoup trop de temps à l'hôpital, pas assez avec toi. Mais je t'aime plus que tout, et j'ai besoin de toi. Tellement besoin de toi. Quand je rentre le soir à la maison, à l'idée que tu m'y attends, j'oublie tout le stress accumulé pendant ma journée de travail.

— Mais je serai toujours là le soir, Malcomb.

— Ce sera différent. Toi aussi tu seras tendue.

Il passa doucement une main dans ses cheveux qu'il repoussa en arrière.

— Et quand je me libérerai pour qu'on puisse partir en amoureux quelques jours, comment feras-tu pour tes cours ?

— Nous n'avons encore jamais pris de vacances depuis notre voyage de noces.

— Mais nous le ferons. Sans compter que je ne vois pas l'intérêt de passer un diplôme pour t'occuper des enfants des autres. Bientôt, nous aurons notre propre famille.

Des enfants… L'idée lui paraissait effrayante, aujourd'hui. Dire que c'était l'envie d'être mère qui avait été une des raisons pour épouser Malcomb, sachant qu'à vingt-huit ans, et lui à trente-six, le temps commençait à presser.

Elle essaya de se détourner, mais il l'empoigna par les bras et l'attira contre lui. Puis il posa ses lèvres contre les siennes.

— Pourquoi est-ce que tu n'irais pas voir Ronnie, aujourd'hui ? Chaque fois, ça te met de bonne humeur.

Suggestion qui ouvrait sur un nouveau sujet épineux.

— A propos de Ronnie, j'avais pensé que nous pouvions le prendre à la maison avec nous ce week-end.

— Encore !

— Ça fait presque un mois qu'il n'a pas passé la nuit ici.

— Je sais, et, crois-moi, il me manque à moi aussi. Mais après la semaine que j'ai eue, j'aspirais à un week-end tranquille, rien que nous deux.

Malcomb l'embrassa de nouveau, cette fois avec plus de force.

— Ma semaine a été particulièrement difficile, tu sais.

— Je sais.

Mais, en vérité, elle ne savait plus rien. Particulièrement au sujet de cet homme qu'elle avait épousé et qu'elle n'arrivait plus à cerner.

Quand elle entendit la porte se refermer derrière lui, elle reprit machinalement la lecture du journal.

La sonnerie du téléphone brisa le silence froid de la maison. Elle traversa le couloir pour aller décrocher.

— Allô ?

— Madame Lancaster ? dit une voix féminine tendue.

— Elle-même.

— Il y a des choses que vous devriez savoir à propos de votre mari.

— Pardon ?

— Malcomb Lancaster est un menteur et une ordure.

— Qui êtes-vous ?

— Cela n'a pas d'importance.

— Vous vous fichez de moi...

L'interlocutrice avait raccroché.

19

Nicole reposa d'une main tremblante le téléphone sur son socle.

« Malcomb Lancaster est un menteur et une ordure. »

Malcomb, certes, se révélait loin d'être parfait, mais ce n'était ni un menteur ni une ordure.

Alors pourquoi avait-elle tant de mal à se calmer ? Elle se rendit dans la salle de bains, enleva son pyjama et, l'esprit toujours préoccupé, entra sous la douche.

Sous le puissant jet d'eau chaude, elle arriva à se délasser. Les yeux fermés, elle repensait à sa vie d'avant sa rencontre avec Malcomb, lorsque son père était toujours en vie.

Inutile d'idéaliser ce temps-là. Elle n'était pas tellement plus épanouie à cette époque. Malgré ses efforts, les affaires politiques qui encombraient les journées de son père la laissaient indifférente. Elle rêvait déjà d'être éducatrice spécialisée pour aider les enfants comme Ronnie, mais manquait d'encouragements de la part de ses proches.

Elle s'adossa contre la paroi en marbre, s'efforçant d'inspirer l'air chaud mêlé de vapeur. Cette fois, il n'était pas question de différer. Résolue, elle se mit à planifier sa journée. Malcomb ne serait pas d'accord, mais tant pis. Il finirait bien par se faire à l'idée, et leur couple s'en trouverait fortifié.

Malcomb gara sa Porsche à la place de parking qui lui était allouée, puis il coupa le moteur. Pourquoi fallait-il que Nicole aborde aujourd'hui le sujet de ses études ? Comme s'il n'avait pas d'autres soucis en tête ! Surtout, elle n'avait absolument pas besoin de travailler… Elle avait hérité de son père assez d'argent pour pouvoir garantir à une famille entière un train de vie luxueux. Et par-dessus le marché, il était chirurgien. Non, il ne voulait plus entendre parler de cette idée. D'autant qu'une femme au travail était encore plus confrontée à la tentation de commettre des sottises. Il était bien placé pour le savoir. Il ne la laisserait pas tomber dans cet engrenage.

Nicole était l'épouse idéale. Une fortune familiale, des amitiés dans le monde politique, et un physique de rêve. De magnifiques cheveux bruns qui descendaient sur ses épaules de satin. Une peau mate, douce, délicatement parfumée avec la lotion qu'elle se mettait sur le corps en sortant de la douche. De longues jambes, fines et musclées. Et ses yeux noisette, pétillants d'expression, confirmaient sa beauté. En particulier quand Malcomb lui faisait l'amour et qu'elle lui renvoyait un regard chargé de gravité et d'abandon. S'il fallait vraiment trouver un défaut à Nicole, c'était sans doute sa poitrine. Un tantinet trop petite, à son goût. Mais il aurait demandé Nicole en mariage même si elle avait eu moins d'attraits.

Elle était la fille de Gerald Dalton, feu le sénateur de l'Etat. Désormais, c'était à lui qu'elle appartenait…

Il prépara son sourire du matin au moment où les portes de l'ascenseur s'ouvrirent.

Nicole, heureuse de fouler le sol du campus de Shreveport, s'avançait vers le bâtiment de la scolarité. Finalement, ce campus qui n'était qu'une annexe de l'université de Louisiane, située à Baton Rouge, n'était pas si petit. Quatre mille étudiants y étaient inscrits, et à en croire les visages qu'elle croisait, tous les âges y étaient représentés, du jeune bachelier au retraité passionné de savoir. Ce mélange créait une atmosphère de tolérance qui la renforçait dans sa détermination de s'inscrire à la faculté et lui mettait du baume au cœur.

— Nicole ? fit une voix lointaine.

Elle se retourna et vit une jeune femme noire qui tentait de la rattraper. Aussitôt, elle reconnut le beau visage de Mathilda Washington.

— J'avais l'espoir de te rencontrer ici aujourd'hui, dit Nicole alors qu'elles s'embrassaient chaleureusement. Mais comment m'as-tu reconnue de dos ?

— Pas difficile. Un déhanchement comme le tien, on le reconnaît tout de suite ! On devrait même faire passer une loi pour l'interdire !

— Moi ? Mais je ne me déhanche pas !

— C'est ça ! Admettons que j'exagère, mais ta robe, elle, ne me laissait aucun doute.

Nicole fit glisser ses mains sur le tissu soyeux de sa petite robe chasuble.

— Là non plus, je ne vois pas.

— J'étais avec toi quand tu l'as achetée, dans cette boutique très huppée, où il faut pratiquement montrer son relevé bancaire pour avoir le droit d'entrer. D'ailleurs, ils ne m'ont laissée entrer que parce que j'avais le profil à porter tes sacs de course !

— Tu délires ! Et j'adore ça ! Mais raconte-moi plutôt comment se passent tes cours. Et Jake, comment va-t-il ?

— Ça y est, il ne porte plus de couches ! A l'allure où allaient les choses, je commençais à croire qu'il saurait lire avant d'aller sur le pot !

— Je te l'ai dit. Cet enfant est un vrai petit génie.

— Il ne tient pas de sa mère, alors. Je me suis plantée en histoire contemporaine, ce semestre. Enfin, j'ai eu les autres modules, et c'est déjà ça.

— Et comme va le joli papa de Jake ?

— Mark vise le record du monde des heures sup'. Et tout ça, pour que je puisse finir mes études. C'est un amour.

Mathilda s'interrompit pour saluer une camarade qui passait à proximité, puis ramena son attention sur Nicole.

— Mais, dis-moi, tu es venue sur le campus pour t'inscrire ou pour te moquer des pauvres étudiants que nous sommes ?

— J'ai l'intention de reprendre mes études ! Je me rendais au bureau de la scolarité pour me procurer l'emploi du temps des cours du second semestre.

— Super ! Alors, ça veut dire qu'on sera peut-être ensemble l'année prochaine, en formation des éducateurs ?

— *Si* l'emploi du temps me permet de passer en juin tous les modules théoriques obligatoires. Tu as le temps de prendre un café avec moi ?

— Pas vraiment, mais j'ai trop envie que tu me racontes ton voyage de noces et tes premiers mois de mariage avec le fabuleux Dr Lancaster.

Nicole sentit son estomac se nouer, mais n'en laissa rien paraître.

— Le voyage de noces s'est déroulé à merveille.

— Et la vie avec le Dr Lancaster, est-ce le rêve éveillé qu'on avait tous imaginé pour toi ?

« Malcomb Lancaster est un menteur et une ordure. »

La voix anonyme fit une réapparition dans l'esprit de Nicole, et pendant une seconde elle eut l'impression d'être plongée dans l'eau glacée. Elle se mit à presser le pas, pensant laisser derrière elle ses peurs et ses doutes ridicules. Malcomb n'était peut-être pas le mari dont elle avait rêvé, mais il l'aimait et était respecté de tous.

Mathilda mit son bras sur l'épaule de Nicole.

— Fais comme si je n'avais rien demandé. Dans tous les mariages, on connaît des matins difficiles, et on se demande parfois pourquoi on a un jour renoncé au célibat. Au fait, j'ai la brochure des emplois du temps dans mon sac. On pourra peut-être prendre un cours ensemble ?

— Bonne idée ! Tiens, comment va notre prof de socio préféré ? demanda Nicole avec l'intention de ramener la discussion à un sujet plus enjoué.

— Quand je te raconterai sa dernière, tu diras que j'affabule…

Très vite, la conversation avec Mathilda prit le dessus et Nicole mit ses soucis de côté. La cafétéria grouillait d'étudiants en pleine discussion ou plongés dans leurs livres. Nicole trouvait cette ambiance et cette camaraderie tellement réconfortantes, après le silence de son immense maison vide ! Elle eut alors l'impression que cette prise de conscience marquait un début dans sa vie de femme mariée. Pour le meilleur ou pour le pire ? La réponse viendrait plus tard.

Dallas Mitchell sirotait son café tiède tout en parcourant une dernière fois ses notes. Dans quelques minutes, il se précipiterait au premier étage pour faire un exposé devant des étudiants en psychologie. Il n'avait jamais été très à l'aise pour parler en public, mais c'était un ami professeur qui lui avait demandé ce service, et Dallas n'avait pas voulu refuser. Le sujet, d'ailleurs, lui convenait parfaitement : « Comportement et réaction de l'individu coupable pendant l'interrogatoire de police ». Il aurait de quoi dire, même sans ses notes. Depuis cinq ans qu'il appartenait aux forces de l'ordre, il avait interrogé des centaines de suspects.

Pour Dallas, un bon policier devait pouvoir deviner quand un individu mentait. Soit des incohérences apparaissaient dans ses déclarations, trahissant une improvisation maladroite, soit sa version était bien préparée, ce qui entraînait des réponses rapides et trop bien énoncées. Une personne innocente prenait son temps pour répondre, et bafouillait souvent.

Mais Dallas savait que les étudiants s'intéresseraient surtout à l'interrogatoire du suspect psychopathe. Un sujet beaucoup plus difficile à cerner. Celui-là, d'une intelligence souvent au-dessus de la moyenne, pouvait jouer la sincérité à grand renfort de regards francs et de sourires confiants. Dallas avait eu l'occasion d'en voir quelques-uns à l'œuvre. C'étaient eux, les vrais dangers publics. Du genre à commettre les crimes sur lesquels Dallas enquêtait en ce moment.

Une image violente surgit dans son esprit. Celle du dernier corps extirpé d'un buisson d'épines, dans une zone inhabitée près de Cross Lake. La victime, une mère célibataire de vingt-huit ans, enseignante en primaire, avait été droguée, puis torturée avant de recevoir le coup fatal. L'assassin lui avait sectionné la carotide gauche d'un geste sec et précis, qui ne lui laissait aucune chance. Deux autres femmes avaient été tuées dans les mêmes circonstances, au cours des mois précédents.

L'esprit occupé par cette affaire, Dallas regroupa ses notes dans le classeur à transparents qu'il avait dégoté au commissariat, puis, sa tasse de café en main, entreprit de rejoindre la sortie.

Un éclat de rire l'arrêta dans sa marche. Comme un souvenir d'une autre époque… Il se retourna pour repérer la femme qui avait ri et se prouver qu'il se faisait des idées.

Incroyable… C'était bien Nicole Dalton. Assise à une table, à une quinzaine de mètres de lui, en pleine conversation avec une amie.

Que faire ? Il pouvait sortir sans se faire remarquer d'elle. Mais, maintenant qu'il l'avait vue, la tentation de lui parler était forte. Au fait, que dire à une jeune femme avec qui on avait passé une nuit, neuf ans plus tôt ?

Dallas n'avait pas encore quitté Nicole des yeux quand elle se tourna dans sa direction. Leurs regards se croisèrent. Elle sourit, et il suspendit sa respiration. Ainsi, elle l'avait reconnu. Sur le coup, pris au dépourvu, il resta planté là, sans bouger.

Maintenant, il était trop tard pour se précipiter vers la sortie.

2.

Nicole, qui regardait Dallas s'approcher, s'étonnait de le trouver si peu changé. Elle-même se sentait si différente, par rapport à la dernière fois qu'ils s'étaient vus. Tout naturellement, elle lui tendit la main.

— Bonjour, Dallas. Ça fait un bail…

— Un sacré bail !

Il lui serra la main, son pouce s'attardant sur l'alliance qu'elle portait.

— Tu as l'air en pleine forme, ajouta-t-il.

— Toi aussi.

Et c'était peu dire. Il avait une allure superbe. Plus musclé que dans son souvenir, avec les traits du visage plus définis. Mais ses yeux envoyaient toujours le même regard perçant, et ses cheveux noirs n'avaient pas diminué de volume. Il n'était pas beau, au sens où Malcomb l'était. Cependant, il avait un charme fou, qui venait de ses traits affirmés et de son assurance naturelle.

En un mot, il était séduisant.

— J'ai su, pour ton père, dit-il. Je te présente toutes mes condoléances.

— Merci.

Il n'avait pas pris la peine d'appeler au moment venu. Pourquoi l'aurait-il fait, du reste ? Combien d'années s'étaient écoulées depuis la nuit où... Les vieux souvenirs refirent surface. Oppressants. Tout en se glissant sur le côté vide de la banquette, Nicole lui dit d'une voix à peu près normale :

— Tu veux t'asseoir ?

Il eut l'air d'hésiter. Quel besoin avait-elle eu de l'inviter ?

— Enfin, si tu as le temps..., ajouta-elle rapidement, pour le mettre à l'aise.

Il se tourna vers la sortie, comme pour évaluer la distance à parcourir pour s'enfuir.

— J'ai bien quelques minutes devant moi, mais je ne voudrais pas interrompre quoi que ce soit, dit-il à l'intention de Mathilda.

— Justement, j'allais partir. Je dois aller chercher mon fils à l'école. Ensuite, je le dépose chez ma mère avant de revenir ici pour un cours de psycho.

Nicole fit les présentations. Mathilda se leva, serra la main de Dallas et, se retournant vers Nicole :

— J'amènerai peut-être Jake au Revel demain. C'est à quelle heure, ton atelier d'art pour les enfants ?

— De 9 heures à 12 heures. Viens. Ça me ferait tellement plaisir de revoir Jake !

— Je ferai tout mon possible.

Et elle s'envola, laissant Nicole seule, confrontée à un souvenir en chair et en os.

Dallas s'assit à la place de Mathilda, adoptant une position décontractée, jambes étendues sous la table, le dos légèrement appuyé contre la banquette.

L'un comme l'autre, ils n'avaient pas tellement changé. Pourtant, Nicole savait bien qu'elle n'était plus la même. D'abord, elle était mariée. Ensuite, elle avait mûri et acquis une autonomie qui la mettait à l'abri des influences et des

28

jougs extérieurs. La conversation du matin avec Malcomb lui revint à l'esprit. Pour l'autonomie, il fallait bien admettre que les choses n'avaient pas évolué autant que ça... Ce n'était pas une raison, cependant, pour se jeter de nouveau au cou de Dallas. Une fois avait suffi. Même si, dans le passé, elle n'avait pas toujours été de cet avis.

Elle jeta un coup d'œil à la main de Dallas. Pas d'alliance. Toujours en peine de se fixer, apparemment.

— Alors, Dallas, que fais-tu de ta vie ?

— Je poursuis des assassins.

— Et c'est juste un passe-temps, ou c'est un gagne-pain ?

— Les deux. Ça me permet de vivre de pizzas et de bière fraîche.

— Que demander de plus ?

Il secoua la tête.

— Rien, la plupart du temps.

Dallas n'avait jamais été très bavard. Il s'exprimait beaucoup par mouvements de tête et phrases lapidaires.

— Alors, tu es policier ?

— Inspecteur à la criminelle, commissariat de Shreveport.

Il but une gorgée de café.

— Et toi, Nicole ? Je m'attendais à voir ton nom sur les listes électorales...

— Pour suivre les traces de mon père ?

— Non, pour représenter tes propres idées. Je me souviens que tu étais assez critique vis-à-vis des décisions prises au niveau de l'Etat.

— J'ai essayé de m'y mettre, mais je n'ai pas la volonté de mon père.

— Il faut dire que peu de personnes l'ont.

Le sarcasme ne lui avait pas échappé.

— Mon père était passionné par ce qu'il faisait. Il n'y a rien de mal à ça.

— Non, mais il n'a pas dû être ravi, quand tu as décidé de ne pas reprendre le flambeau.

— Il n'a jamais voulu décider pour moi, et j'ai toujours eu le dernier mot…

Elle laissa sa phrase en suspens. Elle n'avait pas de comptes à rendre à Dallas.

— Pour résumer, reprit-il pour briser le silence prolongé qui s'était installé, tu as laissé tomber la politique et tu as épousé le Dr Malcomb Lancaster.

— Je vois que tu te tiens au courant.

— Il suffit d'ouvrir le journal local.

— Tiens donc, les inspecteurs s'intéressent à la page people ?

— Seulement quand il y a des photos de belles filles.

Il sourit d'un air mutin. Le même sourire qui avait hanté Nicole, toutes les nuits, pendant des mois, après qu'il eut disparu… ou plutôt fui loin de sa vie. Elle le fixa dans les yeux et ne put s'empêcher de faire un parallèle avec Malcomb. Est-ce que ce dernier aussi aimerait fuir ? Peut-être n'était-elle bonne qu'à décourager les hommes qui comptaient pour elle ?

Dallas finit son café et repoussa son gobelet au centre de la table.

— C'est comment la vie de femme mariée ?

Difficile.

Est-ce que c'était la réponse que Dallas voulait entendre ? Mais qui croyait-elle berner ? Il se moquait bien de sa réponse. Il n'avait demandé cela que par politesse.

— Ça va bien, dit-elle.

— Et qu'est-ce que tu es venue faire sur le campus, par une belle journée comme celle-ci ?

— Me procurer un programme des cours du second semestre, répondit-elle en tambourinant des doigts sur la brochure que Mathilda lui avait laissée. J'aimerais obtenir mon diplôme d'enseignante spécialisée.

Il haussa les sourcils.

— Quoi ? demanda-t-elle. Ça te surprend ?

— Un peu. Je ne te connaissais pas cette vocation. En tout cas, je suis sûr que tu seras parfaite dans le rôle.

Il jeta un coup d'œil à son bracelet-montre puis se redressa sur son siège.

— Je serais bien resté plus longtemps, mais je fais une intervention dans dix minutes devant les étudiants de sociologie.

—Si c'est le devoir qui t'appelle…

Leurs regards se croisèrent et une bouffée de chaleur inattendue s'empara de Nicole. Elle détourna les yeux, espérant que son trouble passerait inaperçu. Dallas semblait n'avoir rien remarqué.

— J'ai été très content de te revoir, dit-il.

— Moi aussi.

Et il s'en alla, sans même lui adresser un dernier sourire.

D'un geste machinal, Nicole repoussa sa tasse, qui vint heurter celle de Dallas. Un choc quasi imperceptible, qui lui fit penser à leur histoire. Un événement sans importance pour Dallas, un fracas sans précédent pour elle… Son cœur avait eu bien du mal à s'en remettre.

Heureusement, tout cela, c'était du passé. Aujourd'hui, elle était Mme Malcomb Lancaster. Epouse d'un homme brillant, apprécié de tous, pour une union parfaite que tout le monde enviait. Elle seule avait besoin d'être convaincue.

*
* *

A 22 h 45, la sonnerie du téléphone la fit sursauter. Pourtant, depuis déjà plus d'une heure, elle s'attendait à un coup de fil de Malcomb la prévenant qu'il était sur le chemin du retour. Après avoir placé son marque-page, elle laissa son livre sur le lit et se saisit du combiné posé sur sa table de chevet.

— Allô ?

Pas de réponse. Seule une respiration contrôlée parvint à ses oreilles. Son pouls s'affola.

— Qu'est-ce que vous me voulez ? demanda-t-elle d'une voix chevrotante.

— Ça va, Nicole ?

Malcomb.

Elle relâcha l'air contenu dans ses poumons.

— Ça va mieux, maintenant. J'ai eu un drôle d'appel, ce matin... Alors, comme tu ne répondais pas, j'avais peur que ce ne soit un autre coup de fil du même genre.

— Excuse-moi. J'étais en train de rédiger une ordonnance de nuit pour un patient. C'est quoi, cette histoire d'appel ?

— Oh, une blague téléphonique... Sans importance, maintenant que je sais qu'il n'y a pas de suite, dit-elle. Tu rentres quand ?

— Je quitte l'hôpital d'une seconde à l'autre.

— Alors, je t'attends pour me coucher.

Avec impatience, pensa-t-elle. Parce qu'elle avait hâte de lui annoncer qu'elle reprendrait les cours en janvier. Maintenant qu'elle s'était décidée, elle ne voulait pas remettre à plus tard l'explication qu'elle devait avoir avec Malcomb.

Elle descendit du lit et, foulant l'épaisse moquette de laine, se dirigea vers la belle commode en ébène. Après une seconde de réflexion, elle ouvrit le second tiroir, fouilla parmi la lingerie de soie et en ressortit le déshabillé en dentelle noire que Malcomb lui avait offert pendant leur voyage de noces.

Son but n'était pas de faire pencher malicieusement la situation en sa faveur, mais pour obtenir l'attention de Malcomb il n'y avait pas trente-six façons. Et si la dentelle noire pouvait lui faire oublier les réticences que lui inspiraient ses études, tant mieux ! Surtout, elle ne devait pas oublier de lui servir un whisky *on the rocks*. Dentelle noire et whisky, c'était la combinaison gagnante.

A regret, elle sortit de son pyjama de grand-père, ample et chaud, et se glissa dans cet étroit morceau de tissu ajouré qui, en plus, avait une fâcheuse tendance à la démanger.

Qui lui avait dit, déjà, que le mariage était composé de cinquante pour cent de compromis, et de cinquante pour cent de concessions ?

Malcomb appuya sur la télécommande au-dessus de sa tête, et, quand la porte du garage fut ouverte, il y fit entrer sa voiture de sport. Il était chez lui. Des murs laqués, des rangements propres renfermant outils de jardin, accessoires automobiles, ustensiles de plein air. Çà et là, un objet ayant appartenu à Gerald Dalton.

Malcomb resta assis dans sa voiture quelques minutes. Il avait besoin d'un peu de temps pour faire la transition entre sa vie à la maison et ce qui précédait. Des compartiments séparés… C'était la seule façon pour lui de ne pas mêler les genres.

Il tendit la main pour ouvrir la portière, mais se ravisa et prit dans sa poche de chemise un étui contenant une lingette antiseptique. Il déchira le plastique, en sortit le carré imbibé et le passa avec soin sur ses mains, nettoyant un à un chacun de ses doigts. Quand il eut fini, il fit une boulette de la lingette et la jeta dans sa poubelle de voiture.

Ce ne fut qu'une fois cette précaution prise qu'il sortit. Avant de refermer la portière, il se pencha pour prendre le bouquet de fleurs qu'il avait acheté dans un supermarché sur la route. Par la porte du garage restée ouverte pénétrait une brise fraîche qui lui caressait la nuque. Un bienfait, juste avant de retourner dans l'arène… Car, ce matin, il ne s'était pas montré très adroit avec sa jeune épouse. Il avait laissé s'exprimer un autre aspect de sa personnalité qu'il aimait mieux maintenir éloigné de cette maison. Ce soir, il se rattraperait. Fleurs et petits mots gentils : un cocktail susceptible de faire pardonner bien des péchés.

Y compris ceux qui n'étaient pas connus en ces lieux.

Nicole repéra d'abord les fleurs. Les pétales de velours se dessinaient délicatement dans la lumière tamisée des bougies. Puis elle vit Malcomb, et la joie qu'elle avait ressentie en voyant le bouquet retomba. Elle pouvait lire sur son visage qu'il avait eu une rude journée.

Elle traversa la cuisine et lui tendit le whisky qu'elle avait préparé.

— Bienvenue chez vous, docteur Lancaster.

— J'apprécie.

Sa voix était plus rauque, plus tendue que d'habitude.

Il échangea le bouquet contre le verre, en but la moitié d'un trait, puis le reposa sur la table de la cuisine.

Enfin, il la regarda. Avec des yeux admiratifs, il suivit les lignes du déshabillé noir qui la rendait encore plus mince. Et le voile terne qu'elle avait aperçu dans ses yeux disparut, pour être peu à peu remplacé par un éclat scintillant.

— Dites-moi, madame Lancaster, vous êtes bien aguichante, ce soir...

— C'est vous que je vise, cher monsieur.

Il lui reprit le bouquet des mains, le déposa sur la table et, s'approchant plus près d'elle, entreprit de lui caresser les seins. Il dessinait des petits cercles avec la paume sous l'arrondi de l'un et de l'autre, puis sur le sommet. Elle sentit leur pointe réagir. Il s'arrêta et, sans quitter des yeux sa poitrine en éveil sous la dentelle noire, il tendit la main vers son verre. Il but une gorgée puis recommença ses avances. Cette fois, il passa les mains sous les bretelles de son déshabillé, les fit glisser sur son buste et, avec les pouces, souleva ses seins pour les faire surgir du décolleté.

Comme elle aurait voulu ressentir de l'émotion ! Mais si incroyable que paraisse la chose, après seulement dix mois de mariage, ses sentiments pour Malcomb s'étaient mués en une paisible indifférence. Quand elle se trouvait dans ses bras, elle prenait part à l'action, mais sans aucune passion. Comme si ce n'était pas elle qui répondait aux demandes de son mari.

Malcomb, ignorant la réserve de Nicole, continuait à caresser sa poitrine dénudée, tout d'abord avec les mains, puis avec sa bouche. Le tout dans un silence ponctué par sa respiration emballée. Pas un mot doux. Pas un baiser. Vint le moment où il lui souleva les pans de son déshabillé. Et alors, il la hissa sur la table. Vite, il fallait qu'elle l'arrête... Sinon, sans qu'ils aient échangé une parole, il aurait pris son plaisir. Elle s'écarta.

Malcomb se raidit.

— Qu'est-ce qui ne va pas, chérie ?

— Rien. C'est juste que j'aimerais mieux qu'on parle avant...

Il écarquilla les yeux, comme si elle venait de s'exprimer dans une langue étrangère.

— J'y tiens, Malcomb.

Il attrapa son verre et but la dernière gorgée. Le désir enfiévré des dernières minutes n'était plus du tout d'actualité. Son visage avait repris une expression fermée. Décidément, il était bien différent d'elle. Pour faire l'amour, elle avait besoin d'avoir l'esprit libéré et d'être séduite par des mots complices, des marques d'affection. Malcomb, lui, semblait pouvoir entrer dans le vif du sujet sur un simple déclic et en sortir avec la même absence de transition. Comme beaucoup d'hommes, sans doute.

— Ce n'est pas si important, dit-elle, soudain convaincue que les phrases préparées avant son retour n'auraient pas de sens dans ce contexte.

— Vas-y, dit-il en s'avançant à la fenêtre. Tu sais que je suis toujours prêt à t'écouter.

Elle posa les pieds au sol et remit son déshabillé en place. Quelle idiote d'avoir enfilé ce truc-là ! Pour lancer une discussion sérieuse, il y avait plus approprié.

— Ce matin, je suis allée à l'université. J'ai pris l'emploi du temps du second semestre.

— Et ?

— Les connaissances dont j'ai besoin pour compléter ma formation existent.

Il lui lança un regard noir, comme si elle avait confessé avoir couché avec le jardinier. Elle enchaîna aussitôt :

— Je me suis inscrite dans les cours qui m'intéressaient. Je veux obtenir mon diplôme d'éducatrice spécialisée et je l'aurai.

Il continuait à la regarder d'un air sévère, avec une bouche crispée. Aucun effort de compréhension. Pas un cillement de tolérance.

— S'il te plaît, Malcomb… J'ai besoin de m'épanouir, moi aussi. Et cela n'a rien à voir avec notre vie à deux.

— C'est sûr. Tu ne penses qu'à toi.

Elle sentit les larmes lui monter aux yeux. Encaissant la secousse que ces paroles avaient provoquée en elle, elle prit le parti d'aller mettre les fleurs dans un vase. Elle avait certainement commis une maladresse, mais laquelle ? Pourquoi Malcomb semblait-il si irrité à l'idée qu'elle retourne à l'université ? Questions sans réponses. Une seule certitude surnageait dans son esprit : il fallait un cœur bien accroché pour croire au mariage.

Dallas se redressa d'un coup, comme si on venait de lui tirer dessus. Ce bruit fracassant qui l'avait arraché au sommeil, c'était… Ah, le téléphone ! Qui continuait à sonner. Il se libéra du drap, s'assit sur le lit et attrapa le combiné, juste avant que la sonnerie ne retentisse de nouveau.

— Une nuit complète de sommeil, est-ce trop demander ?

— Ouais… Moi aussi, je suis content de t'entendre.

Son équipier, évidemment.

— Alors, que se passe-t-il, cette fois ?

— Freddie-les-Mains-Propres vient de frapper de nouveau.

— Un nouveau meurtre ?

— J'en ai peur. On n'a pas encore beaucoup de détails. Femme de race blanche, à l'approche de la trentaine, même méthode que pour les trois précédentes. On l'a retrouvée à trois kilomètres de l'endroit où le cadavre de la dernière était dissimulé.

La nouvelle lui causa un choc qui lui coupa le souffle quelques instants.

— A quand remonte la mort ?

— Elle a été tuée cette nuit même. Bien sûr, ce n'est pas encore officiel.

Dallas n'avait plus envie de revendiquer le droit de finir sa nuit.

— Je passe te prendre dans cinq minutes.

— J'habite à dix minutes de chez toi.

— D'accord, je suis là dans sept.

Il raccrocha d'une main, se saisit de son pantalon de l'autre, tout en se mettant debout.

Penser qu'au même moment, dans cette ville, un tueur en série dormait sur ses deux oreilles...

3.

Janice, accroupie à une table de bambins en pleine activité de collage, commençait à perdre patience. Les enfants étaient censés construire un totem indien en collant, sur une boîte de céréales, des macaronis non cuits. Mais le résultat était navrant et, pour une activité de ce genre, les décibels produits beaucoup trop importants.

— Comment as-tu pu m'embarquer dans un truc pareil ! dit-elle, tentant de couvrir les dizaines de petites voix aiguës.

— De quoi te plains-tu ? répondit Nicole, qui déposait des macaronis supplémentaires au centre de la table. Les enfants sont mignons comme tout…

— Mignons ? Si tu as le malheur de leur tourner le dos, il y en a un qui te colle un macaroni dans le dos.

— Oh, arrête ! Ça n'est arrivé qu'une seule fois.

— Deux fois. Par ce petit énergumène roux, là-bas, dit Janice en montrant du doigt le démon.

— Tu parles d'un énergumène ! Enfin, rassure-toi… Si les choses tournent mal entre vous, tu pourras gagner haut la main. Il n'a pas encore trois ans.

— Très drôle ! Dis-moi plutôt ce que tu comptes faire quand la corvée sera finie.

— Ce n'est pas une corvée…

Nicole s'interrompit pour intercepter la main d'un petit garçon qui s'apprêtait à coller un macaroni sur le front de sa voisine. Elle guida le poignet du coupable vers la boîte de céréales, tout en maintenant un sourire marqué.

— Tu ne me crois peut-être pas, mais je prends beaucoup de plaisir à venir ici.

— Je ne te comprendrai jamais !

Plaisanterie mise à part, Janice sentait que Nicole était soucieuse. Elle qui était d'habitude d'un naturel si gai... Qu'est-ce qui tracassait sa cousine ? Janice se releva, prit Nicole par le bras et l'attira à l'écart de la table.

— Tu n'as pas répondu à ma question. Peut-on espérer déjeuner ensemble dans un restaurant interdit au moins de cinq ans ?

— Pas aujourd'hui.

— Pourquoi ? Tu as un rendez-vous galant ?

— Dans un lit chaud et douillet, si tu veux savoir.

— Dis-m'en plus !

— Curieuse ! Mais ce n'est pas ce que tu crois. Malcomb rentre plus tôt le vendredi, et je voulais faire une sieste avant son retour.

— Toi ? Faire la sieste ? Qu'est-ce qui t'arrive ? Tu es, non, ce n'est pas vrai ! Tu es enceinte ?

— Non. Pourquoi dis-tu ça ?

— Eh, ce sont des choses qui arrivent !

— Oui, mais je ne suis pas enceinte.

— Alors, qu'est-ce qui se passe ?

— Rien de particulier. C'est seulement que je n'ai pas bien dormi cette nuit, et que je suis fatiguée. On déjeunera ensemble la semaine prochaine, d'accord ?

Janice fit volte-face. On venait de lui planter un bâton de colle dans le dos.

— Ah ! s'écria-t-elle. Cette fois, je t'ai eu !

Il avait voulu la guerre. Il l'aurait. Elle l'attrapa par le dessous des bras, et le ramena *manu militari* sur sa chaise. La boîte de céréales qui l'attendait à sa place n'était encore ornée d'aucune pâte. Visiblement, ce gamin se fichait bien de rapporter chez lui un pauvre cadeau plein de colle. Et, finalement, c'était lui qui avait raison !

Janice s'assit à côté de lui et décida de le convaincre du contraire. A force de paroles douces et de démonstrations appliquées, elle le décida à décorer son paquet. Quand Nicole, dans sa grande bonté, annonça la fin de l'atelier, le petit énergumène avait vidé la moitié de son tube de colle. Sur la table d'activités, il y avait douze totems indiens à des degrés d'achèvement plus ou moins avancés, certains, d'ailleurs, plutôt à l'état de ruines.

Nicole fit une distribution de serviettes humides afin que les petites mains poisseuses soient propres pour le retour des mamans. Ouf ! pensait Janice, qui aidait les plus petits à se nettoyer les doigts. Bientôt, le retour à la normale.

Mais quand elle remarqua la silhouette à la porte du local, son soulagement se changea en colère.

Elle l'avait reconnu sur-le-champ, alors qu'il suivait des yeux Nicole s'affairant auprès des enfants. Ce Dallas Mitchell ! Comment osait-il se présenter devant sa cousine ?

Janice prit un torchon et, s'essuyant les mains, se dirigea tout droit vers l'intrus.

— Qu'est-ce que tu fais ici ? dit-elle d'une voix ferme mais atténuée, pour ne pas inquiéter les enfants.

— Moi aussi, je suis ravi de te revoir, Janice.

— Réponds à ma question.

— Je viens voir Nicole.

— Elle est mariée, Dallas. A un type bien qui ne s'est pas défilé, lui.

— C'est bien ce que j'avais compris.

— Bon. Alors, sois correct, pour changer. Sors d'ici et ne cherche pas à la revoir.

— Tu ne crois pas que Nicole est assez grande pour décider elle-même qui elle veut voir et qui elle veut envoyer promener ?

— C'est plutôt une question de maturité.

— Et Nicole n'est pas aussi mûre que toi ?

— Non, pas quand il s'agit de toi.

Il prit l'air désolé.

— Tu la sous-estimes. Et de toute façon, je ne suis pas venu ici pour faire un esclandre.

— Ah bon ? Qu'est-ce qui t'amène, alors ? Ne me dis pas qu'il y en a un à toi dans le lot, dit-elle en montrant la tablée.

Il ne répondit pas. Nicole vint les rejoindre. La tension qu'il dégageait était si forte que Janice se sentit nerveuse pour lui.

— Deux fois en deux jours, dit Nicole. Nos rencontres sont très rapprochées.

— Il faut que je te parle. En privé.

Nicole mit les mains dans la poche centrale de son tablier à dessin.

— Je ne vois pas pourquoi Janice ne pourrait pas entendre ce que tu as à me dire.

— Moi non plus, dit Janice. Qu'aurais-tu à dire à ma cousine *mariée* que je ne pourrais pas entendre ?

Il se redressa.

— Je suis ici pour le travail.

Janice ne lâchait pas prise.

— Et quel genre de travail, exactement ?

Mais il ne prit pas la peine de lui répondre.

— C'est bon, Janice, dit Nicole. Je peux m'en occuper toute seule.

— Ah bon ? Et pourquoi ça ?

— Dallas dit qu'il s'agit de son travail. Je n'ai pas de raison d'en douter.

— Moi, si !

Nicole fit face à Dallas.

— Je dois laisser la salle nette pour l'atelier de peinture de cet après-midi. Mais on peut parler ici pendant que je remets de l'ordre.

— D'accord.

Janice, abasourdie, suivit du regard Dallas qui emboîta le pas à Nicole. Quel que soit le but de ce type, il devait y avoir une embrouille. Flic ou pas, il n'était pas honnête. Elle eut la tentation de lancer un dernier avertissement à Nicole, mais elle se ravisa. Depuis quand était-elle qualifiée pour donner des conseils sur la gent masculine ?

Dallas aida Nicole à remplacer le papier plastifié qui protégeait la table d'activités. C'était étrange de faire ces gestes avec elle. Ils avaient pourtant eu l'occasion de travailler ensemble, mais c'était à une autre époque. Une époque révolue à laquelle il valait mieux ne pas penser.

— Comment as-tu fait pour me trouver ? demanda-t-elle, en aplatissant le papier sur les bords de table.

— C'est ton amie Mathilda, hier, qui a parlé du Revel. Elle voulait passer te voir.

— Malheureusement, elle a eu un empêchement.

Nicole plaça ses deux mains en appui sur le dossier d'une petite chaise et releva le visage vers lui. Ses yeux brillaient de mille feux, comme imprégnés des rayons du soleil. Il calma ses élans. Elle appartenait à un autre homme, et même si tel n'avait pas été le cas, cela faisait longtemps qu'il avait dilapidé ses chances auprès d'elle.

— Qu'est-ce qui me vaut ta visite, Dallas ?

Il dégagea une chaise et la lui présenta. Quand elle fut assise, il contourna la table pour se placer en face d'elle.

— Est-ce que le nom de Karen Tucker te dit quelque chose ?

Nicole plissa les yeux.

— Ah, c'est pour ton travail.

— Comme je te l'ai dit.

— Une enquête de police ?

— Oui. Tu connais cette femme ?

— Non.

— Réfléchis bien. Dans tes anciennes camarades de fac, les contacts politiques de ton père, une amie d'amie…

— Karen Tucker, répéta-t-elle à haute voix comme pour stimuler sa mémoire. Ce nom ne me dit rien. Est-ce qu'elle habite Shreveport ?

— Elle y habitait. On l'a assassinée hier soir.

Il fut frappé par le changement d'expression de Nicole. Ses yeux, à l'instant si gais, s'assombrirent, et elle baissa la tête. Une réaction bien normale à une nouvelle dramatique. Même quand la victime n'est pas une connaissance.

— Je suis désolée, dit-elle. Mais je ne vois pas qui c'est. Qu'est-ce qui te fait penser que je la connaissais ?

— On a retrouvé sur elle un morceau de papier avec ton nom et ton numéro de téléphone. Dans sa poche arrière de jean.

Nicole secoua la tête.

— Y avait-il autre chose sur ce papier ?

— Rien, à part ton nom et ton numéro.

— Quel âge avait-elle ?

— Vingt-six ans.

44

Nicole grimaça.

— Elle était jeune... Tu as identifié le meurtrier ?

— Pas encore, mais j'y arriverai. C'est pour cela que j'ai besoin de ton aide.

— Je ne l'ai pas eue au téléphone. Je m'en serais souvenue, autrement.

— Peut-être est-ce Malcomb qu'elle a appelé.

— Il ne m'en a pas parlé.

— Et tu n'as pas eu d'appel inhabituel, dernièrement ?

— Inhabituel ? Qu'est-ce que tu veux dire ?

— Je ne sais pas... Un appel qui t'aurait frappée.

Elle se leva et alla chercher un dessus cartonné qu'elle plaça au centre de la petite table.

— Est-ce que tu crois que je suis impliquée dans ce meurtre ?

— Non, bien sûr que non ! Mais l'assassin n'a pas laissé beaucoup d'indices derrière lui.

Aucun, en réalité.

Il reprit :

— Je pensais que tu connaissais Karen et que tu pourrais me parler d'elle.

— Elle n'a pas de famille, pas d'amis ni de collègues ?

— Si. J'ai bien l'intention d'aller les interroger.

— Mais tu es venu me voir d'abord.

— C'était un point de départ comme un autre pour mon enquête.

En vérité, il avait été totalement secoué de voir le nom de Nicole sur un papier ensanglanté, associé à cet horrible meurtre.

Jusqu'à présent, elle avait répondu de manière convaincante à ses questions. Mais, depuis ce dernier échange, elle semblait mal à l'aise, presque vulnérable. Etait-ce dû à quelque chose qu'il avait dit ?

— J'aimerais pouvoir t'aider, Dallas. Mais je ne connais pas cette Karen Tucker.

Nicole dénoua son tablier. Il passa derrière elle pour l'aider à l'enlever. Cette proximité réveilla en lui une tentation malvenue.

Elle lui reprit le tablier des mains, et le plia avant de le placer dans son sac.

— Je dois partir, maintenant, lui dit-elle.

— D'accord.

Il avait besoin de sortir, lui aussi. Un bon policier ne se laissait pas divertir par les sentiments qu'il éprouvait. Il tenta d'esquisser un sourire rassurant.

— Veux-tu que je te reconduise chez toi ?

— Merci, mais j'ai ma voiture.

— Alors, je te raccompagne jusqu'à ta voiture.

— A quel titre ? Celui de flic ou de vieux copain ?

— Le flic n'est déjà plus là, dit-il.

— Bien. Je vais juste prendre mon sac à main.

Il attendit, se laissant imprégner de mille pensées indésirables.

Il avait un nouveau cadavre sur les bras. Un nouveau dans une série qui en comptait déjà trois. Mais cette fois, la mise en scène semblait légèrement différente. Le tueur avait été moins à cheval sur la propreté que pour les trois meurtres précédents. Et puis, la malheureuse n'avait été ni torturée ni déshabillée. Le point commun qui le reliait à la série, c'était le coup fatal et le profil de la victime. Une jeune femme menue, cheveux bruns, plutôt jolie.

Quel pouvait bien être son lien avec Nicole ? Et pourquoi Nicole avait-elle curieusement réagi, lorsqu'il avait parlé de coups de fil inhabituels ?

46

Et puis qu'allait-il faire de ce désir qui lui coupait le souffle, chaque fois qu'il s'approchait d'elle qui, pour tout simplifier, faisait son apparition dans la série de meurtres la plus dévastatrice de la Louisiane ?

— Je suis prête.

Elle, peut-être. Lui, c'était moins sûr.

Nicole fit de son mieux pour tenir une conversation alors qu'ils se dirigeaient vers sa voiture. Mais parler de choses anodines avec Dallas n'avait jamais été facile en temps normal, et ce l'était encore moins dans des circonstances semblables.

Karen Tucker.

La veille, sans doute, cette femme, pleine de vie, s'était rendue au travail, elle avait déjeuné avec des amis et fait des plans pour la soirée. Aujourd'hui, son corps inerte, dur comme de la pierre, reposait dans une morgue réfrigérée. Nicole réprima un frisson glacé.

« Et tu n'as pas eu d'appel inhabituel, dernièrement ? »

La question de Dallas revint la harceler. Le coup de fil anonyme de la veille n'était sans doute pas à prendre au sérieux. Une mauvaise plaisanterie, ni plus ni moins. Elle n'avait aucune raison de penser que Karen Tucker était liée à cet avertissement anonyme.

Mais, si tel était le cas, pourquoi ne pas en avoir parlé à Dallas ? Il n'était pas trop tard… Qu'est-ce qui la retenait de lui dire qu'une femme avait accusé Malcomb d'être un menteur et une ordure ? Elle referma ses bras sur son buste. Mon Dieu, qu'elle avait froid ! Elle tremblait de tous ses membres.

Dallas la prit par le bras et l'arrêta.

— Ça ne va pas ?

— Mais non ! Pourquoi est-ce que ça n'irait pas ?

— Peut-être parce que j'ai débarqué au Revel sans te prévenir.

— Tu es venu pour ton travail.

— Soit. Mais maintenant, je suis dans la peau du vieux copain.

Elle reprit sa route sans chercher à lui répondre. Ils savaient l'un et l'autre pourquoi il était venu, et cela n'avait rien à voir avec leur passé commun. Un passé qu'il n'avait pas mis longtemps à renier, d'ailleurs.

— Comment va Ronnie ? demanda-t-il.

— Il va bien.

— Tant mieux. Je l'ai toujours bien aimé.

Dallas faisait partie des rares personnes qui avaient pu entretenir une véritable relation avec Ronnie. De courte durée, malheureusement. Tout comme la relation qu'il avait eue avec elle. Car Dallas ne se laissait pas encombrer par les autres. Comment osait-il l'amadouer en se servant de Ronnie ?

— Est-ce qu'il vit toujours dans le foyer de Kings Highway ?

— Oui.

— Et il s'y plaît ?

— La plupart du temps. Il n'a pas changé. Un jour, tout va bien. Le suivant, tout va mal. C'est comme ça qu'il fonctionne. Mais, en général, il semble heureux. Il se raccroche à sa petite routine.

— J'aimerais beaucoup le revoir.

— Je serais étonnée qu'il te reconnaisse.

— On ne sait jamais. Si je l'emmène déguster un banana split avec une cerise confite, la mémoire pourrait lui revenir…

48

Ils arrivèrent à la voiture de Nicole. Il lui ouvrit la portière et elle s'installa au volant.

— Si tu te souviens de quoi que ce soit, à propos de Karen Tucker, appelle-moi, dit-il en lui tendant une carte de visite qu'il avait prise dans sa poche de chemise. Plutôt sur le portable. Ce sera moins compliqué.

— D'accord.

— Et j'étais tout à fait sérieux au sujet de Ronnie.

Elle hésita un instant, espérant que Dallas s'évaporerait comme un génie aspiré dans sa lampe. Mais Dallas n'était pas un personnage de conte.

— C'est à toi de décider, Nicole. Si tu n'es pas d'accord, dis-le-moi.

— Si tu veux rendre visite à Ronnie, appelle d'abord le foyer. Le directeur devra donner son accord et te fixer un rendez-vous. Demande à parler à Tilda.

Nicole sortit de son sac à main un bloc-notes et un stylo, écrivit rapidement les coordonnées du foyer et lui tendit le papier.

— Merci.

Il referma la portière mais s'attarda contre la voiture.

— Si tu veux me parler de quoi que ce soit, Nicole, n'hésite pas. Si tu me laisses un message, je te rappellerai.

L'amertume l'envahit de plus belle. A une certaine époque, elle avait eu beau laisser des messages, il ne l'avait pas rappelée. Un coup de fil de sa part aurait pourtant changé bien des choses.

— Si je me souviens d'un lien avec Karen Tucker, je t'appelle. Promis.

Il hocha la tête tout en s'écartant de la voiture. Nicole démarra, et sortit de la place de parking.

Cette visite avait bouleversé sa journée. Elle n'avait plus du tout envie de faire la sieste. Elle était impatiente de voir

49

son mari. Pourquoi ne pas aller le surprendre à l'hôpital ?
Ils pourraient déjeuner ensemble, après tout.

Au passage, elle lui demanderait s'il connaissait Karen
Tucker.

4.

— Quelle bonne surprise !

Nicole se détendit devant la joie de Malcomb, qui se levait de son bureau pour venir l'accueillir. Il déposa un rapide baiser sur sa joue et aussitôt elle oublia ses appréhensions, ainsi que le scénario de mauvaise série télévisée qu'elle avait eu le temps d'échafauder en chemin.

Malgré leurs problèmes de couple, il n'y avait aucune raison de soupçonner que l'appel de la veille avait été donné par la jeune femme assassinée, ou que les accusations formulées contenaient leur part de vérité. C'était sans aucun doute une mauvaise blague, imaginée par un esprit perturbé.

— Je croyais que tu passais la journée entière au Revel avec Janice ?

— C'était seulement pour la matinée.

— Comment est-ce que ça s'est passé ?

— Très bien, mais les enfants de cet âge débordent d'énergie. Ce n'est pas de tout repos.

— J'imagine que tu dois être épuisée.

— J'ai surtout faim ! Je suis venue voir si tu étais libre pour déjeuner.

— Non, malheureusement !

Il fronça les sourcils.

— J'ai croisé Jim Castle il n'y a pas vingt minutes, et je l'ai invité à déjeuner avec moi. Il est sur le point de s'acheter un nouvel appareil photo, et il aimerait avoir mes conseils. Je vais quand même l'appeler pour essayer d'annuler. S'il n'a pas encore quitté son bureau…

— Non, laisse tomber.

Elle avait presque l'habitude. Chaque fois qu'elle voulait faire quelque chose en compagnie de Malcomb, le projet tombait à l'eau.

Il lui prit la main.

— Chérie, tu es tracassée. Qu'est-ce qui ne va pas ?

— Je voulais te parler, mais ça attendra ce soir.

— Ne dis pas de sottises. C'est Jim qui attendra !

Malcomb la prit par l'épaule et la guida vers le siège qui faisait face à son bureau.

— Maintenant, dis-moi tout. C'est au sujet de Ronnie ? De l'atelier d'art ?

— Non.

Elle était assise sur le bord de la chaise. Malcomb, debout, en appui contre son bureau, la dévisageait d'un regard perçant, comme s'il s'accrochait à chacun de ses mots.

— Si c'est à cause d'hier soir, je tiens à te dire à quel point je regrette. J'essaye, crois-moi, de ne pas ramener à la maison les tensions de ma journée. Je suis conscient que notre amour pourrait en pâtir. Mais voilà, parfois, c'est plus fort que moi.

— Ce n'est pas à cause d'hier soir.

Elle hésita. Avec Malcomb, le moyen le plus direct n'était pas toujours le plus approprié.

— J'ai eu une visite pendant que je me trouvais au Revel.

— Qui ça ?

— Un inspecteur de police.

L'expression de Malcomb changea.

— Qu'est-ce qu'il te voulait ? demanda-t-il avec un regard inquiet.

— Me demander si je connaissais une dénommée Karen Tucker.

— Pourquoi ?

— Elle a été assassinée la nuit dernière, et ils ont retrouvé dans sa poche un morceau de papier avec mon nom et mon numéro de téléphone.

Il eut l'air interloqué.

— Et tu connaissais cette femme ?

— Pas du tout. Si je l'ai rencontrée, je ne me souviens pas d'elle. C'est ce que j'ai dit à Dallas.

— Dallas ?

— Dallas Mitchell. L'inspecteur. C'est un vieil ami. Enfin, nous avions travaillé ensemble pour préparer la campagne électorale de mon père.

— Il y a longtemps ?

— Neuf ans. C'était l'été avant mon entrée à l'université de Tulane.

— Comment s'est-il débrouillé, ton ami, pour savoir que tu serais au Revel ? Il avait vraiment envie de t'interroger !

— Il n'a pas eu à faire beaucoup d'efforts. Je l'avais rencontré hier sur le campus, au moment où je parlais avec Mathilda. Avant de nous quitter, toutes les deux, nous avons parlé de mon atelier d'art.

— Pratique.

— Ce n'est pas ce que tu crois.

— Tout de même ! Monsieur l'inspecteur tombe sur toi hier par hasard, et il fait le trajet jusqu'au Revel ce matin pour te parler.

— Il mène son enquête. Il n'a pas encore beaucoup d'éléments sur la victime.

— Tu commences à t'exprimer comme un flic, ma parole ! Quoi qu'il en soit, je n'aime pas que ce type débarque au Revel sans te prévenir, pour te contrarier avec des histoires de meurtre.

— Ce qui me contrarie surtout, c'est de savoir que mon nom et mon numéro de téléphone figuraient sur un papier, dans la poche de la victime. Je me demandais si, toi, tu connaissais cette Karen Tucker…

— Pourquoi ? L'inspecteur pense que oui ?

— Non, c'est juste que si elle me connaît, il est possible qu'elle te connaisse aussi.

— Quel nom as-tu dit ?

— Karen Tucker.

— Je ne vois pas non plus.

Il remonta les manches de sa blouse blanche et jeta un coup d'œil à sa montre.

— Je vais finir par être en retard pour mon rendez-vous avec Jim. Pourquoi ne rentres-tu pas à la maison pour te reposer un peu ? Je vais faire de mon mieux pour écourter mon déjeuner, et j'essaierai de rentrer plus tôt. On reparlera de tout ça à mon retour.

— Très bien.

Elle se leva et prit la direction de la porte, Malcomb à son côté. Il plaqua la main sur la cambrure de ses reins.

— Tu as eu une bien mauvaise matinée. Je suis désolé. A mon retour, je me rattraperai.

— Tu n'y es pour rien.

— Je sais, mais je n'aime pas te voir dans cet état.

Il lui vola un baiser sur la nuque. Un geste d'affection qui aurait dû l'émoustiller. Mais elle n'éprouva rien. Pas la moindre réaction.

54

— Ah, Malcomb, j'avais autre chose à te dire...

— Ça ne peut pas attendre ?

Cela pouvait attendre, certes. Mais le moment semblait propice. Il avait l'air attentionné et bien disposé.

Elle lui fit face.

— Hier matin, une femme m'a appelée. Elle a refusé de me dire qui elle était.

— C'est l'appel bizarre dont tu m'as parlé hier soir ?

— Oui. La femme m'a dit qu'elle appelait pour me prévenir que mon mari était un menteur et une ordure...

— Un menteur et une ordure ? Moi ?

Après un temps d'arrêt, il éclata de rire.

— Mon Dieu, qu'est-ce que je lui ai donc fait, à celle-là ? Elle trouve mes honoraires trop élevés ?

— Elle n'a pas été plus explicite, en tout cas.

— Je n'en doute pas. J'espère que tu n'as pas pris au sérieux ces accusations gratuites.

— Non, mais maintenant, je me demande... Enfin, est-ce que tu penses que la femme qui a appelé pourrait être Karen Tucker ? Ce qui expliquerait le papier ?

— Tu en as parlé à ton ami l'inspecteur ?

— Non.

— Bien.

Malcomb la prit dans ses bras et la serra fort contre lui.

— Ne pense plus à cette Karen Tucker, mon amour. Ce qui lui est arrivé n'a rien à voir avec nous. Et je suis sûr que l'inspecteur parviendra très vite à cette conclusion.

— Je l'espère.

— Tu es sûre de vouloir rentrer toute seule ? Je peux toujours appeler le restaurant pour me décommander auprès de Jim.

— Non, ça ira.

En sortant du bureau de Malcomb, elle glissa les mains dans ses poches. Ses doigts rencontrèrent la carte de visite de Dallas et se refermèrent autour des bords rigides. Cette visite surprise à Malcomb avait été bien décevante. Elle en sortait avec encore plus de questions en tête. Et des doutes qui s'insinuaient en elle de façon pernicieuse.

Qu'est-ce qu'il lui avait pris de ne pas parler à Dallas de l'appel anonyme ? Avait-elle peur qu'on ne les implique, elle et Malcomb, dans une affaire de meurtre ? Ou n'osait-elle pas avouer à son ex-petit ami qu'on avait traité son mari de noms injurieux ?

Et si cette accusation téléphonique avait été le dernier geste de la jeune femme, avant qu'un détraqué ne lui ôte la vie ?

Quand elle rejoignit sa voiture, Nicole tremblait de tout son corps. Elle se laissa tomber sur le siège conducteur, reprit son souffle, puis sortit son portable de son sac à main. Elle devait absolument parler à quelqu'un qui l'écouterait et qui lui donnerait franchement son avis.

— Allez, réponds…, dit-elle à la deuxième sonnerie.

Janice ne décolérait pas, malgré l'activité qu'elle déployait pour remettre de l'ordre dans sa maison. Elle fit la récolte des magazines éparpillés un peu partout dans le salon, alla ramasser les chaussures qui traînaient çà et là dans l'entrée, car elle avait la manie de les abandonner dès qu'elle entrait chez elle. Au téléphone, Nicole avait paru préoccupée. Evidemment, ce ne pouvait être qu'à cause de ce Dallas de malheur !

Un sans-cœur, un fourbe, et content de lui, en plus. Comment pouvait-il se mettre à pourchasser Nicole, maintenant qu'elle était mariée — sans compter ce qu'il lui avait fait subir dans le passé ! Le pire, c'était que leur rencontre produisait encore des étincelles. Ce qu'elle avait vu le matin même le prouvait.

Janice se félicitait d'avoir pris sa journée entière, plutôt que la matinée seulement. Elle en profiterait pour parler à Nicole et lui ouvrir les yeux. Une montée de franchise, un lancer de vérité abrupte, c'était l'attaque qu'elle allait mettre à exécution pour sortir sa cousine de l'ornière. Dallas Mitchell finirait par s'en repentir.

La condensation se formait sur le verre de thé glacé, et elle commençait à sentir le froid qui entrait en elle par l'extrémité de ses doigts. Nicole posa son verre sur la tablette, frappée par l'expression d'incrédulité de Janice à qui elle venait de raconter toute l'histoire : la rencontre avec Dallas sur le campus, les détails de sa visite au Revel, et le curieux coup de fil de la veille.

Janice posa les coudes sur la table et se pencha en avant.

— Je n'y crois pas. Trop de coïncidences.

— C'est ce que je me dis. J'aurais dû parler de l'appel anonyme à Dallas. Ça lui aurait sans doute ouvert une piste.

— Tu plaisantes ? Moi, je ne lui dirais rien de rien sur ma vie privée ! Les coïncidences que je vois, moi, concernent Dallas. Je ne serais pas étonnée d'apprendre qu'il a concocté cette machination dans le seul but de te reprendre dans son lit, maintenant que tu es mariée.

— Il n'aurait pas « concocté » un meurtre, tout de même !

— Non, mais il a très bien pu demander à quelqu'un de t'appeler, afin de te faire croire que Malcomb voyait une autre femme. Et puis, une fois le doute installé, tu serais devenue plus sensible à ses avances.

— C'est grotesque !

— Tu trouves ? Moi, je crois que c'est plausible. Il demande à une femme de t'appeler, il te suit jusqu'à l'université où il provoque une rencontre « surprise »... A mon avis, il est assez tordu pour faire ça.

— Et moi qui me croyais cynique !

— Cynique, toi ? Tu serais capable de faire confiance à un SDF qui se proposerait pour porter ton sac à main !

— Passons. De toute façon, Dallas ne m'a pas proposé de porter mon sac à main, et la femme au bout du fil n'a pas dit que Malcomb me trompait. Elle a juste dit que c'était un menteur et une ordure.

— Et qu'est-ce que tu crois que ça veut dire ?

— Malcomb dit que c'est une vengeance à cause de ses honoraires.

— Evidemment ! Lui, il est tellement fidèle, il n'imagine même pas qu'on pourrait l'accuser du contraire...

— Janice, tu te trompes, cette fois. Dallas est sur une affaire de meurtre. Il ne m'aurait pas menti pour cette histoire de papier retrouvé sur la victime.

— Oh que si ! Et tu l'as dit toi-même. Ce matin, il n'était pas en visite officielle. Il a seulement inventé un prétexte pour te voir. Ecoute, Nicole, je ne veux pas être trop brutale, mais regarde les choses en face. Un, tu es naïve. Deux, tu as encore un penchant pour Dallas.

— Certainement pas !

— Pas de ça avec moi ! N'oublie pas que j'étais là, ce matin, quand vous vous parliez avec des éclairs dans les yeux ! Mais je ne cherche pas à te culpabiliser. On a toutes une petite faiblesse pour notre premier amour, même s'il s'avère être le dernier des pauvres types.

— Il n'y a rien entre Dallas et moi.

— Bien. Alors, ne le laisse pas s'approcher de toi. Je n'ai pas envie qu'il te fasse encore du mal. Et, surtout, ne va pas gâcher ta vie de couple. Malcomb est le mari idéal, un garçon sûr, comme il n'en court pas beaucoup les rues.

— Personne n'est parfait. Malcomb est loin d'échapper à la règle.

Nicole dégagea alors sa chaise de la table.

— Il faut que j'y aille.

— Pourquoi maintenant ? Je t'ai dit ce que je pensais. C'est à ton tour de parler.

— Je suis venue justement pour avoir ton avis.

— Mais tu crois que je me trompe ?

— Je ne sais plus quoi penser.

— Alors, sois prudente…

— … « et agis en ton âme et conscience », c'est ça ?

— Non. Une femme n'a plus de conscience quand il s'agit de traiter avec les hommes, surtout des hommes comme Dallas. Rappelle-toi que cet homme n'est pas ton ami.

— J'essaierai de m'en souvenir.

Heureusement, Janice changea de conversation alors qu'elles rejoignaient la porte d'entrée.

Nicole mit sa veste et ouvrit la porte. Dehors, une brise d'automne, un peu fraîche, l'attendait. Fraîche mais pas au point de provoquer les frissons qui la parcouraient des pieds à la tête. Ce n'était pas ce temps de saison, du reste appréciable après un été chaud, qui la mettait dans cet état. C'était la crainte de ce qui pouvait arriver. Le sentiment confus que le pire approchait.

Dallas, penché au-dessus de son bureau, étudiait les photos prises sur les lieux du crime. Cette fois, le meurtrier avait dû être pris de court. Pour les meurtres précédents, il avait lavé les corps de ses victimes. Pas cette fois. Paradoxalement, ce dernier meurtre comportait une mise en scène moins effrayante. La victime était morte de la même façon. Sectionnement de la carotide. Mais Karen, contrairement aux autres, n'avait pas été déshabillée puis placée dans l'une de ces positions obscènes propres aux magazines pornographiques. Et, plus important : elle n'avait pas été torturée physiquement.

— Un tordu qui garde la tête froide, tu ne crois pas ?

Corky avait terminé sa question en croquant dans un hamburger gras à souhait. Il posa les pieds sur le bureau de Dallas et poussa sa chaise en arrière dans un mouvement de balancier.

Comme équipier, Corky Brown était parfait, si on ne retenait pas contre lui son manque de respect chronique pour la procédure, et sa passion gloutonne pour les aliments gras.

— Oui, répondit Dallas. Il se caractérise par son sang-froid et sa précision. Un petit coup sec juste là où il faut.

— Il contrôle très bien tous ses gestes. Même quand il maquille les lieux du crime et éparpille des échantillons d'ADN. Un peu de salive ici, du sang là, un cheveu placé sur les habits pliés des victimes... Et sur les corps lavés, une pincée de poussière d'ongle. Le tout provenant d'une douzaine de personnes différentes.

— On devra attendre les résultats de l'expertise médico-légale pour savoir s'il n'a pas changé, là aussi, de manière de procéder, dit Dallas. Cette modification de manière de faire est intrigante. Il n'a pas déshabillé sa victime, et, d'après la quantité de sang retrouvé sur elle, il ne l'a pas déplacée.

— Peut-être que ce n'est pas le même meurtrier, suggéra Corky, en portant à la bouche une canette de soda. T'as pensé à ça ? On a déjà vu des crimes commis par imitation. Surtout que le sectionnement de la carotide est la seule indication parvenue aux oreilles peu scrupuleuses des journalistes. Dans ce cas, on aurait deux meurtriers sur le dos... Sympa, non ?

— Moi, je penche plutôt pour l'hypothèse d'un seul et même tueur.

— Alors comment expliques-tu ces changements dans la mise en scène ?

— A mon avis, un événement inattendu est venu contrarier sa routine. A moins qu'il ne relâche sa discipline, maintenant qu'il s'est fait la main.

— C'est possible. On verra bien ce que dit la psy. J'imagine qu'elle va retarder la remise de son rapport d'expertise pour pouvoir inclure les données du dernier meurtre. Enfin, j'espère qu'elle est aussi bonne profileuse qu'elle a un joli profil. Ça me fait penser... Parle-moi donc de Mme Malcomb Lancaster.

— Je t'ai tout dit. Elle ne connaît pas la victime.

— Je sais. Ce qui m'intéresse, c'est de savoir comment vous vous êtes connus. Car vous ne faites pas partie du même monde, mon pote !

— J'ai bossé sur la campagne électorale de son père, à l'époque où j'avais de l'émotion à revendre. Nicole était venue nous aider pendant les vacances d'été.

— Wouah ! Une passion d'été avec une belle friquée ! Tu te l'es faite ?

Dallas effectua un mouvement de tête pour dénouer ses cervicales.

— Quel tact ! Dis-moi, est-ce qu'il t'arrive de penser à autre chose qu'au sexe ?

— A la bouffe ! Et... aux enquêtes ! Tiens, qu'est-ce qui fait ce bruit-là ?

— Le fax. Là, derrière toi.

Dallas pointait l'index vers la machine qui commençait déjà à produire un feuillet.

— Attrape ! C'est peut-être une note du légiste, ou le détail des appels sur la ligne de Karen Tucker.

Corky tendit nonchalamment le bras vers la machine.

— Mais il y a toujours quelque chose entre toi et Mme Lancaster, non ? demanda-t-il.

— Elle est mariée.

— Ce n'est pas une réponse.

— Il n'y a rien entre nous.

— Tu me rassures ! Comme ça, si jamais ce fax nous montre que ta copine de la haute t'a menti ce matin, et qu'elle a parlé au téléphone avec Karen Tucker, tu ne le prendras pas mal.

— Nicole ne mentirait pas.

Corky attrapa le feuillet et le parcourut des yeux. Son regard s'arrêta. Il eut une mimique significative.

Dallas reconnut tout de suite cette expression et la panique s'empara de lui.

— Qu'est-ce que c'est ?

— Le détail des appels sur la ligne téléphonique de Karen Tucker.

Corky lâcha, au-dessus du bureau, le feuillet qui retomba en vol plané sous le nez de Dallas.

— Désolé, vieux. On ne peut vraiment se fier à personne.

Dallas prit le document. Le numéro de téléphone trouvé sur Karen Tucker n'apparaissait pas sur le listing. Mais un autre, lui aussi au nom de Lancaster, revenait souvent.

5.

Une lointaine sonnerie de téléphone la sortit lentement du sommeil, la ramenant graduellement à un niveau de conscience suffisant. Elle finit par décrocher.

— Allô ?

— Nicole ?

L'appréhension la sortit définitivement de son état comateux.

— Oui, c'est moi… Qu'est-ce qui se passe, Dallas ?

— Un nouveau petit problème.

— Est-ce qu'il s'agit toujours de Karen Tucker ?

— Je le crains. On a ses relevés d'appels téléphoniques.

— Et mon numéro apparaît ?

— Oui.

Elle eut la très désagréable sensation d'être prise la main dans le sac au sortir d'une boutique. Elle aurait mieux fait de lui parler de l'appel anonyme. A présent, elle donnait l'impression de cacher quelque chose.

— Je vais t'expliquer.

— Tu ferais peut-être mieux de ne rien me dire. En tout cas, pas maintenant.

— Pourquoi ?

— Parce que, parfois, il vaut mieux attendre d'avoir vu son avocat.

— Un avocat ? reprit-elle, la voix étranglée par la colère. Je n'ai pas besoin d'un avocat. Laisse-moi t'expliquer les choses !

Janice avait raison : Dallas n'était pas un ami. C'était un policier, qui cherchait à l'inculper et non à la séduire une seconde fois.

— Je propose qu'on en discute autour d'un café, répondit Dallas calmement.

— Pourquoi pas au téléphone ?

— Je préfère qu'on se voie.

— Quand ?

— Tout de suite, si tu es libre.

Elle balança ses jambes sur le côté et, en position assise sur le lit, jeta un œil sur l'heure. 14 h 50. Elle avait dormi pendant plus d'une heure. Malcomb devait être revenu. Seulement, son sommeil était si profond qu'elle ne l'avait pas entendu rentrer.

— Mon mari voudra sans doute m'accompagner.

— Alors, si tu veux, je passe chez toi.

Elle s'imagina un instant Dallas Mitchell dans le salon, face à Malcomb et elle. Dallas, avec son visage souriant, son aisance pour parler, faisant remonter en elle de vieilles attentes, réveillant d'anciennes douleurs. Et quand il quitterait les lieux, le souvenir de cette visite resterait en elle, comme un réconfort secret, une compensation au malaise conjugal qu'elle devait combattre.

— Je crois qu'un café serait mieux. A 16 heures, ça ira ?

— Parfait.

Elle lui donna les indications pour se rendre dans un petit café à proximité de chez elle, puis le quitta. Alors qu'elle descendait l'escalier en colimaçon, elle fut étonnée du silence qui régnait dans la maison. Malcomb veillait sans doute à ne pas faire de bruit pour ne pas la réveiller. A moins — et c'était plus probable — qu'il n'ait trouvé refuge dans son bureau, au-dessus du garage.

Dans la cuisine, personne. Même chose dans le salon et dans la salle à manger. Elle alla ouvrir la porte qui donnait sur le garage. L'emplacement réservé à la Porsche était vide. Malcomb avait eu tout le temps de déjeuner avec Jim et de rentrer à la maison, si c'était vraiment ce qu'il avait projeté de faire. Manifestement, il avait trouvé mieux pour occuper son après-midi que de venir auprès d'elle.

Elle se retrouva dans la salle à manger, à se regarder dans le miroir au-dessus de la cheminée. Ses cheveux étaient défaits, son maquillage estompé, et sa mine générale avait perdu de son éclat. Elle s'approcha du reflet. De petites rides naissaient au coin de ses yeux. Des rides de désarroi qui avaient commencé à apparaître à la mort de son père, deux ans auparavant.

Le désarroi le plus complet. La solitude la plus cruelle. C'était ce qu'elle avait ressenti jusqu'au moment où Malcomb avait fait son apparition. Il s'était montré attentionné, particulièrement sensible. Elle s'était sentie aimée et protégée. Après réflexion, elle avait fini par accepter sa proposition de mariage et sa promesse d'un amour absolu pour la vie. Qui aurait pu imaginer que cet amour s'évanouirait aussi rapidement ?

Le téléphone sonna une nouvelle fois. Elle alla dans la cuisine et, avant de décrocher, vit sur l'écran digital que l'appel provenait du bureau de Malcomb. Un vif sentiment de culpabilité l'envahit. Alors qu'elle prenait tout le temps de se lamenter sur l'absence de Malcomb, celui-ci avait certainement été rappelé à l'hôpital pour une urgence. Elle s'éclaircit la gorge pour avoir une voix gaie au téléphone.

— Bonjour, Malcomb.

— Bonjour. Ça va mieux, on dirait... Tu as passé un bon après-midi ?

— J'ai été terrassée par une sieste foudroyante. Et toi ? Comment était ton déjeuner avec Jim ?

— Trop long. Il ne s'y connaît pas du tout en photo. Il ferait mieux d'acheter un petit automatique performant plutôt que le gros appareil compliqué qu'il a en tête.

— Tu as réussi à le convaincre ?

— Pas vraiment. J'ai été bipé par le service avant d'avoir pu le convaincre. Mon triple pontage d'hier ressentait de fortes douleurs au thorax. Il va mieux, maintenant, mais je préfère rester un peu dans les parages.

— Ça ne sera pas trop long, j'espère.

— Je serai de retour à 17 heures, si tout va bien. Et avec un peu de chance, nous aurons la soirée à nous deux. Mais tu sais ce que c'est, quand je suis de garde... Je peux être appelé à l'hôpital à tout moment.

Mieux valait l'informer sans tarder du dernier appel de Dallas.

— Au fait, il y a un nouvel élément...

— Attends, j'ai un nouveau signal sur mon bip. Est-ce que je peux te rappeler ?

— Ce n'est pas nécessaire. Va t'occuper de tes patients. Je te raconterai quand tu rentreras à la maison.

— Comme tu veux, chérie.

Il raccrocha. Nicole décida donc d'aller seule au rendez-vous avec Dallas. Après tout, c'était son nom à elle qu'on avait retrouvé sur la victime. C'était de son témoignage que la police avait besoin. Malcomb n'avait rien à voir

66

là-dedans. Il ne connaissait pas la jeune femme, et n'était pas là quand Nicole avait reçu l'appel.

Cela dit, c'était tout de même bien Malcomb que Karen Tucker avait incriminé le matin de sa mort. « Un menteur et une ordure. » Les mots se superposaient dans l'esprit de Nicole, formant une discordance de plus en plus intolérable, accompagnant ses gestes devant la glace de la salle de bains, alors qu'elle se remaquillait pour son rendez-vous avec Dallas.

Installé à une table du café, un morceau de sandwich devant lui, Dallas prenait quelques notes sur une feuille de papier, tout en réfléchissant au moyen de rester dans le bon registre, celui du professionnel. Nicole lui faisait toujours autant d'effet. Les neuf années qui s'étaient écoulées depuis leur courte histoire n'avaient pas suffi à lui faire oublier la façon qu'elle avait de l'embrasser, de faire l'amour, de fondre dans ses bras… Avec joie et enivrement.

Seulement, il avait maintenant affaire à Mme Malcomb Lancaster, état qu'il ferait mieux de ne pas oublier. La seule femme qui devait occuper son esprit pour l'instant, c'était celle dont le corps, déjà mis à mal, faisait un séjour prolongé à la morgue dans l'attente d'une autopsie plus complète. Assassinée par un fou qui devait déjà être à la recherche de sa prochaine victime : une femme jeune, belle, amoureuse de la vie. A l'image de Karen Tucker.

Ou de Nicole.

Cette idée lui fit l'effet d'un coup de massue. A y réfléchir, c'était une éventualité à prendre au sérieux. Nicole semblait avoir le profil recherché par le tueur.

Ne vous impliquez jamais personnellement dans les affaires sur lesquelles vous enquêtez. C'est le meilleur moyen de donner l'avantage au meurtrier.

Cette recommandation, il l'avait maintes fois entendue, depuis qu'il avait débuté dans la police. Pour la première fois, il avait besoin de se la répéter.

La porte du bar s'ouvrit et Nicole fit son entrée au beau milieu d'un courant d'air qui lui souleva les cheveux. Avec son sweat-shirt bleu noué autour de ses épaules, elle paraissait à la fois fragile et armée. Il sentit son pouls s'accélérer sous l'effet d'un désir violent, associé à un instinct protecteur.

— Je suis en avance, dit-elle en se glissant sur la banquette en face de lui. Je ne pensais pas te trouver déjà là.

— Je n'avais pas mangé. Alors, je suis arrivé plus tôt pour avaler un casse-croûte.

Il poussa son plateau sur le côté tandis que la serveuse s'approchait.

— Toi aussi, tu veux manger un morceau ?

— Non, merci. Je prendrai juste un café.

La serveuse prit sa commande. Dallas aurait tant aimé lui parler de choses et d'autres. Ou mieux, ne pas lui parler du tout. Se contenter de rester assis face à elle et la dévorer des yeux. Seulement, il n'avait pas le choix.

— Je suis désolé de t'embêter une deuxième fois avec cette histoire.

— C'est ma faute. J'aurais dû te dire la vérité, ce matin. Je ne sais même pas ce qui m'en a empêchée, à part...

Nicole baissa les yeux sur la salière et joignit nerveusement les mains.

— C'est une situation plutôt embarrassante pour moi.

— De quoi parles-tu ?

Elle grimaça puis, inspirant profondément, releva les yeux vers lui.

— J'ai reçu un coup de fil anonyme hier matin, tôt, juste après le départ de Malcomb...

Dallas l'écouta, sans l'interrompre.

Nicole cessa de parler quand la serveuse s'approcha de nouveau de la table pour déposer un café fumant devant elle et verser un supplément dans la tasse de Dallas.

— C'est Karen Tucker qui m'a appelée, c'est ça ? demanda-t-elle quand la serveuse eut disparu.

— Je n'en sais rien.

— Mais tu m'as dit au téléphone que le relevé téléphonique indiquait qu'elle avait appelé chez moi...

— Il n'y a pas de trace de l'appel dont tu me parles sur ses relevés de son téléphone fixe ou de son portable.

— Alors, il doit y avoir une erreur. Si le coup de fil anonyme n'a pas été donné par Karen Tucker, je ne vois pas quand elle aurait appelé chez moi.

— Elle a passé plus d'une douzaine d'appels chez toi, pendant une période de trois semaines. Le dernier a eu lieu la semaine dernière.

Nicole ouvrit de grands yeux effarés. Etait-ce une expression feinte pour cacher le fait qu'elle en savait plus qu'elle ne voulait l'admettre ? Non. Son instinct lui dictait qu'il pouvait accorder toute sa confiance à Nicole.

— Je ne vois pas comment cela est possible, dit-elle en haussant les épaules d'impuissance. Je ne lui ai jamais parlé.

— Peut-être qu'elle appelait ton mari.

— Non. J'en ai parlé à Malcomb, et il ne connaît personne de ce nom. Il y a nécessairement une erreur, Dallas.

— Pourtant, la ligne appelée est bien à ton nom.

Il regarda dans ses notes et lui lut le numéro.

— C'est le numéro du téléphone qui se trouve dans le bureau de Malcomb à la maison, expliqua-t-elle. Il avait besoin d'une ligne séparée pour son ordinateur et son fax, c'est pour cela que nous en avons ouvert une deuxième.

— Ça explique que tu n'as pas répondu à ces appels.

— Mais pas pourquoi Malcomb n'a pas reconnu le nom de cette femme… Est-ce que Karen travaillait pour un laboratoire photo ?

Il secoua la tête.

— Elle était infirmière.

— Alors, peut-être qu'elle lui faxait des informations ou le tenait au courant de la santé d'un patient ?

— Possible, mais peu probable.

Malcomb Lancaster et une femme assassinée qu'il niait connaître… L'affaire prenait une nouvelle tournure qui ne sentait pas bon. Dallas trouvait ça moche, très moche pour Nicole, et regrettait de ne pas pouvoir faire marche arrière. Il fallait qu'il en sache plus.

— Les appels étaient donnés du téléphone fixe de Mme Tucker, dit-il, principalement le soir et les week-ends. Quelques-uns ont été passés après minuit et certains ont duré plus d'une heure. Est-ce qu'il te paraît possible que Malcomb ait pris ces appels ?

— Il est constamment au téléphone. Il est chirurgien spécialiste du cœur. Ses patients ne font pas parler d'eux seulement pendant les heures de bureau.

— Oui, mais est-ce qu'il est souvent dans son bureau, chez vous, à ces heures-là ?

— Oui. Il est passionné de photographie. Il dit que c'est un moyen pour lui d'évacuer les tensions du travail. Il fait des photos en noir et blanc qu'il développe lui-même dans un coin aménagé à cet effet. Il a beaucoup de talent. Une galerie de La Nouvelle-Orléans a déjà vendu plusieurs de ses œuvres.

— Où est situé son bureau dans la maison ?

Elle hésita, serra très fort sa tasse, puis la repoussa.

— Le téléphone dont tu as le numéro est situé dans l'appartement qui se trouve au-dessus du garage.

Nicole fronça les sourcils.

— Je ferais peut-être mieux de ne plus rien dire tant que Malcomb n'est pas présent.

— Oui, ça vaut sans doute mieux.

Il prit une serviette en papier et s'essuya le front. Qu'est-ce qui le mettait donc dans cet état ? La chaleur ou les vieux souvenirs ?

Si le Dr Lancaster n'avait pas d'explication pour les appels de Karen Tucker, il deviendrait le principal suspect dans cette affaire. Et il ne s'agissait pas d'un seul meurtre : la mort de Karen faisait partie d'une série de quatre assassinats tellement sanglants que les détails n'avaient pas encore été donnés aux médias.

Il devait interroger Malcomb Lancaster au plus tôt. Si l'existence de cet entretien parvenait aux oreilles des journalistes, la presse, les chaînes de télévision et les radios se jetteraient sur l'affaire en se frottant les mains. L'éminent chirurgien trompant son épouse avec une infirmière retrouvée assassinée… La probabilité d'un tapage médiatique serait inévitable. Et si on ajoutait à cela le fait que le Dr Lancaster avait épousé la fille de l'ancien gouverneur, l'histoire valait de l'or ! Elle se répandrait vite dans tout le pays. Dallas se dit qu'il ne parierait pas un centime, dans ces conditions, sur la carrière à venir de Malcomb.

Il n'y avait qu'une solution. Pour le bien de Nicole et pour celui de l'enquête. Rester prudent, garder les nouvelles données secrètes.

— Je suis désolée de ne pas pouvoir t'aider davantage, dit-elle d'une petite voix tendue. Tu crois que Malcomb connaissait bien Karen Tucker ?

— Elle l'appelait. C'est tout ce que je sais. Ce n'est pas assez pour se faire une idée.

— Combien, précisément, y a-t-il eu d'appels ?

— Quatorze.

— Est-ce que Karen travaille, pardon, travaillait au Mercy General ?

— Avant, oui. Mais elle a démissionné le mois dernier et elle s'est fait embaucher au Highland Hospital.

— Il est possible que Malcomb l'ait connue. Mais il n'a pas pu la tuer.

— Je n'ai rien dit de tel. Je ne fais que suivre une piste.

— Je comprends…

Pourtant, son visage disait le contraire. Elle était perdue, abasourdie par cette situation cauchemardesque dans laquelle elle se retrouvait. Envahie par les doutes qui venaient de toutes parts. Comme il aurait voulu la prendre dans ses bras, la réconforter ! Mais, même s'il avait osé, elle ne se serait probablement pas laissé faire. Jamais elle ne lui accorderait de nouveau sa confiance.

— Bon, eh bien, je vais y aller…, dit-elle. Malcomb va bientôt rentrer à la maison. Il risque de se demander où je suis passée.

— Je sors avec toi.

Dallas plongea la main dans sa poche et en sortit un billet de dix dollars qu'il posa sur la table.

Dehors, le soleil se fondait déjà dans l'horizon. Il la suivit jusqu'à sa voiture garée devant le café, à côté de la sienne. Contraste poignant. A droite, la belle BMW bleu foncé de Nicole. A gauche, sa Ford noire à lui, aussi mal entretenue que passe-partout. La différence sociale entre elle, la fille du monde, et lui, le petit flic, était criante. Décidément, rien n'avait changé.

— Tu as gardé mon numéro de portable ?

Elle acquiesça de la tête.

— N'hésite pas à m'appeler si tu as besoin de me parler. Quel que soit le sujet.

Elle leva des yeux tristes vers lui.

Dallas aurait voulu faire disparaître le voile qui ternissait ses beaux yeux marron mais, ne sachant que dire, il se tut et elle s'installa au volant. Quand elle quitta le parking, il s'aperçut que c'était la deuxième fois de la journée qu'il la regardait partir.

Il décida de réfléchir à son mari. Probablement un menteur et, comme la mystérieuse interlocutrice l'avait dit, une ordure. De là à lui faire endosser le rôle d'un tueur en série qui torturait des jeunes femmes avant de leur trancher méticuleusement la gorge… Même Dallas reconnaissait que c'était pousser un peu loin l'accusation.

Néanmoins, en tant qu'inspecteur de la criminelle, il ne devait pas oublier que n'importe qui pouvait se révéler coupable, y compris les plus insoupçonnables. C'est pourquoi il n'excluait jamais d'office aucun individu.

Malcomb s'arrêta en chemin à la station de lavage libre-service. Quand il sortit de son coupé de sport, le soleil frappait encore fort, pour une fin d'après-midi. Il était très mécontent. Le pompiste à qui il confiait d'habitude sa voiture avait, cette fois, bâclé le travail, passant l'aspirateur sans soin.

Il alla ouvrir le coffre. Puis, plongeant la main dans sa poche à la recherche de monnaie, il s'approcha de la centrale automatique et y introduisit patiemment les pièces demandées. Il appuya sur le bouton commandant le démarrage. Instantanément, un grondement d'air brassé se fit entendre. Il décrocha le tuyau d'aspirateur et, se penchant au-dessus de son coffre, passa l'embout dans les moindres recoins.

Quand il eut fini, la moquette avait retrouvé son apparence propre. Satisfait, il referma le coffre puis ouvrit la portière passager.

Une voiture vint s'arrêter derrière la sienne. Il préféra ne pas lever les yeux, pour éviter une conversation inutile entre deux étrangers réunis pour la circonstance dans un endroit banal.

— Docteur Lancaster ?

Il sursauta, se cognant au passage le coude contre le tableau de bord. Tout en réprimant le juron qui lui brûlait les lèvres, il jeta un coup d'œil furtif derrière lui. Il reconnut un jeune aide-soignant de l'hôpital. Un grand garçon costaud, au visage allongé, qui avait la particularité d'avoir des sourcils très épais. Malcomb se souvenait de l'avoir déjà rencontré, mais il n'avait pas enregistré son nom.

— Je ne suis pas le seul à vouloir une voiture propre pour le week-end…, commença Malcomb, se sentant contraint et forcé de dire quelque chose.

— Ouais. Je vais sortir ce soir, alors faut ce qu'il faut ! Mais je ne pensais pas que les chirurgiens lavaient eux-mêmes leur voiture.

— Seulement quand ils veulent que ce soit impeccable.

— Je comprends. Vous voulez un coup de main ? J'ai l'habitude de me salir, vous savez.

— Merci, mais j'ai presque fini.

74

— J'ai quelques bières au frigo, à l'arrière de mon mini-van. Je vous en offre une ?

Une bière fraîche… Pas vraiment une boisson pour son standing. Mais la journée avait été difficile. Il était à cran et ses plans pour l'après-midi avaient été perturbés, d'abord par Jim et ses stupides problèmes de conscience, ensuite par Nicole quand elle lui avait parlé de Dallas Mitchell.

— Ce n'est pas de refus. J'en ai bien besoin.

La soufflerie de l'aspirateur s'était arrêtée, le temps imparti épuisé. L'aide-soignant présenta, d'une grosse main luisante, une Corona décapsulée à Malcomb. Celui-ci prit une lingette dans sa voiture et essuya avec soin l'embouchure de la bouteille avant de la porter à ses lèvres. La bière lui descendit au fond de la gorge, provoquant en lui un effet de fraîcheur immédiat.

L'aide-soignant s'adossa contre l'avant de son propre véhicule.

— Vous avez appris, pour Karen Tucker ? demanda-t-il alors que Malcomb prenait sa deuxième gorgée.

Malcomb avala de travers, et toussa si fort qu'un jet de liquide jaillit sur son T-shirt.

— Apparemment, oui, remarqua l'aide-soignant. Je ne la connaissais pas beaucoup, mais ça m'a secoué quand j'ai appris qu'elle avait été assassinée.

— Oui, ça nous a fait un choc à tous.

— Elle était vraiment jolie. Et gentille, avec ça. Pas comme ces infirmières qui nous regardent de haut. Chaque fois qu'elle me croisait, elle me souriait. Du coup, j'avais l'impression d'être important au boulot.

— Je vois.

— J'espère qu'ils vont retrouver le type qui a fait ça et qu'il sera pendu par là où je pense.

— Je suis sûr que ce genre de châtiment n'est pas en vigueur.

— Bah, c'est dommage ! Vous croyez qu'il la connaissait ? Souvent, c'est le cas. Si on regarde les émissions à la télé, on voit que la plupart des meurtriers connaissaient leur victime. Généralement, c'est le petit copain ou un parent.

— Je n'ai eu encore aucun détail sur ce drame.

Malcomb reprit une gorgée de bière, en faisant attention, cette fois, à ne pas s'étrangler.

— Bon, il faut que je continue à passer l'aspirateur, dit-il en reculant vers la machine. Merci beaucoup pour la bière.

— De rien ! C'est pas tous les jours qu'on boit un coup avec le ponte du service.

C'est une fois de trop, pensa Malcomb, en tout cas. Il réintroduisit des pièces dans la fente et se remit à aspirer l'habitacle. Les conversations de trottoir, ce n'était vraiment pas son genre. Ce qu'il lui fallait, c'était un bon Martini glacé, une accalmie aux urgences, et du temps à passer avec sa merveilleuse épouse. Les plaisirs les plus simples sont parfois si difficiles à obtenir…

Et puis, plus tard, il monterait les marches métalliques de l'escalier en colimaçon qui menait à son repaire. Là, il s'adonnerait à un plaisir un peu plus raffiné.

Debout à sa fenêtre de cuisine, Nicole avait les yeux perdus sur le soleil couchant quand elle entendit la porte du garage s'ouvrir. Depuis qu'elle était revenue du café, elle était restée immobile au même endroit, à tourner et retourner dans sa tête les informations que lui avait données

76

Dallas, luttant contre l'idée que Malcomb lui avait menti au sujet de Karen Tucker.

Elle n'avait pas encore le droit de le juger, pas tant qu'il n'était pas là pour livrer sa version de l'histoire. Mais elle ne pouvait s'empêcher d'avoir les plus horribles doutes, associés à une amertume bouillonnante.

S'il avait menti cette fois-ci, à propos de quoi lui avait-il encore menti ? De ses sentiments pour elle ? De la façon dont il passait ses soirées à l'extérieur ? Elle n'était plus sûre de prendre l'appel anonyme pour une mauvaise plaisanterie. Et si son interlocutrice avait raison, cela signifiait que son mariage n'avait été depuis le début qu'une vaste supercherie.

Quand il rentrait à la maison, Malcomb aimait s'évader des soucis de son travail, et il n'acceptait de parler des choses sérieuses qu'après un peu de répit. Ce soir, il n'y aurait pas de temps mort. Nicole ne se voyait pas se concentrer sur ses tâches habituelles, plaisanter avec lui, alors qu'elle était rongée par cette histoire. Elle décida d'attendre sans bouger. La porte de la cuisine s'ouvrit puis se referma. Elle perçut d'abord sa respiration, puis l'odeur de son after-shave.

— Qu'est-ce que tu fais dans le noir ? demanda Malcomb en allumant la lumière sans même attendre sa réponse.

Elle se tourna pour lui faire face. C'était avec lui qu'elle dormait tous les soirs, et qu'elle faisait l'amour. Avec lui qu'elle s'était liée pour le reste de ses jours. Et pourtant, elle avait l'impression de le voir pour la première fois.

— Je réfléchissais, répondit-elle, et l'obscurité était plus appropriée à mes pensées.

— Eh bien, on va devoir te changer les idées...

Il se glissa derrière elle, passa les bras autour de sa taille, et la serra contre lui.

— Tu m'as manqué.

— Tu m'as vue à midi.

— C'est déjà trop loin.

— Est-ce que tu te souviens de quoi nous avons parlé, Malcomb ?

Il appuya son menton sur son épaule. Il avait les lèvres qui touchaient pratiquement son oreille.

— Bien sûr, ma chérie. Nous avons parlé du Revel, de Janice, puis de Jim Castle, et enfin de cette rencontre désagréable avec cet inspecteur dont j'ai oublié le nom.

— Dallas Mitchell.

— Un vieil ami, m'as-tu dit. Eh bien, moi, il ne me semble pas très amical, ce garçon-là.

— Je lui ai reparlé cet après-midi.

Malcomb laissa tomber ses bras, lui libérant la taille.

— Quoi ? Qu'est-ce qu'il voulait ? Il ne t'a tout de même pas posé encore des questions ?

— Si, quelques-unes. J'ai pris un café avec lui.

— C'était nécessaire ?

— Plutôt. Il avait avec lui les relevés téléphoniques de Karen.

Malcomb prit une profonde inspiration qu'il relâcha tout en hochant la tête.

— Je m'explique mieux ton humeur...

Il alla jusqu'au bar et se versa un verre sans lui en proposer un.

— Qu'est-ce que t'a dit ce cher inspecteur ?

— Il m'a dit que Karen Tucker, en plus du papier avec mon nom et mon numéro retrouvé sur elle, avait appelé la maison quatorze fois ces dernières semaines, principalement le soir et les week-ends. Enfin, pas la ligne principale, mais ton bureau au-dessus du garage.

— Et c'est tout ?

78

— Non. Il a précisé que Karen était infirmière au Mercy General, et qu'elle avait démissionné le mois dernier.

— Alors, tu t'es imaginé le pire à mon sujet, c'est ça ? J'attendais un peu plus de discernement de ta part. D'habitude, tu es plus sensée.

— Sensée ou naïve ?

— Certainement pas naïve. Tu es bien trop intelligente.

— Tu connaissais Karen, n'est-ce pas ?

— Si nous allions nous installer dans le salon pour discuter comme des adultes raisonnables ?

— Je ne me sens pas guidée par ma raison en ce moment. Je veux seulement savoir pourquoi tu m'as menti.

— Je ne pensais pas que c'était important. Je voulais t'épargner certains détails.

— Pas la peine de m'épargner. La police, elle, n'épargne personne.

— Parce que les flics sont des imbéciles. Je suis sûr qu'ils vont être très déçus, quand ils connaîtront la nature de ma relation avec Karen.

— Et moi, j'ai le droit de savoir ?

Il but sa dernière gorgée, puis posa le verre sur la table.

— Pour tout te dire, Karen était une jeune femme un peu dérangée. A plusieurs occasions, j'ai été gentil avec elle. Quand elle a quitté l'hôpital, elle a commencé à m'appeler. A n'importe quelle heure. J'ai essayé de la canaliser. Elle avait besoin de l'aide d'un professionnel. Je lui ai conseillé d'aller voir un psy.

— Elle l'a fait ?

— Pas à ma connaissance. Elle avait peur que ce genre d'information ne fasse tache sur son dossier professionnel.

— Tu aurais dû me dire tout ça quand je suis passée à ton bureau.

— Je l'aurais fait si j'avais anticipé les proportions de cette affaire.

— Et maintenant, elle est morte, et ça ne te fait rien ?

— Si, comme lorsque je perds un patient. Tu sais, on s'habitue vite à la mort, dans mon métier.

— Oui, mais Karen Tucker est morte *assassinée* !

— J'en suis vraiment navré, mais ça n'a rien à voir avec nous. Ce n'est pas notre problème, d'accord ?

— Tu devrais appeler Dallas et lui dire exactement ce que tu viens de me raconter.

Malcomb se raidit.

— Je n'ai pas à me justifier auprès de la police. Ma vie privée ne regarde que moi.

— Les inspecteurs ne verront pas les choses sous cet angle.

— Dans ce cas, ils n'ont qu'à venir m'interroger à mon bureau. D'un autre côté, ils feraient mieux de rechercher le véritable meurtrier, plutôt que de harceler un type qui n'a fait que prêter main-forte à une femme en détresse.

Malcomb tendit le bras en avant et prit Nicole par la hanche.

— Et si nous changions de sujet ? Nous pourrions nous faire un petit dîner tranquille, avec une bonne bouteille de vin, et si personne ne me bipe, tu pourras remettre ce déshabillé noir que j'aime tant… Et je tenterai de te faire oublier ce Dallas Mitchell et ses insinuations calomnieuses.

L'invitation fit frissonner Nicole. Malcomb avait peut-être de bonnes raisons pour mentir, mais en vérité elle se sentait trompée. Exclue. Il avait discuté avec cette inconnue nuit après nuit et, pendant ce temps, elle se morfondait seule dans le lit conjugal, à ruminer leurs problèmes de couple ! Et *jamais* il n'avait mentionné le nom de Karen, ni même son existence.

La confiance. Voilà ce qui était en jeu. Sans elle, pas de partage ni de véritable union. Pour Malcomb, l'acte sexuel suffisait à faire oublier leurs différends. Il s'attendait sans doute à ce qu'elle s'y abandonne avec la même passion que d'habitude. Seulement, elle n'avait jamais fait mentir son corps, et n'avait nullement l'intention d'essayer.

Malcomb leur servit un verre de vin et proposa un toast.

— A nous, dit-il.

Quand elle tendit le bras pour trinquer, sa main tremblait. Avant qu'ils n'aient porté leurs verres à leur lèvres, le biper de Malcomb sonna. Il jeta un coup d'œil sur le numéro, en secouant la tête de déception.

— Une urgence ? demanda-t-elle, en espérant que la réponse serait affirmative et qu'il retournerait à l'hôpital.

— Probablement.

Elle resta dans la cuisine alors qu'il rappelait le numéro affiché du poste de la bibliothèque. Il revint rapidement.

— C'est l'un de mes patients. Je dois partir tout de suite.

Elle hocha la tête, restant silencieuse.

— Je reviendrai tard.

— Je sais. J'ai l'habitude.

— C'est la dure vie des femmes de médecins, dit-il en esquissant un bref sourire. Crois-moi, je n'aime pas l'idée de te laisser seule, après tout ce que cet inspecteur t'a raconté.

— Dallas ne m'a...

Elle n'alla pas plus loin. De toute façon, Malcomb n'entendait plus. Il était déjà parti.

Alors qu'elle se rendait dans sa chambre, elle s'arrêta devant la console de l'entrée et y prit le trousseau de clés qu'elle avait posé, qui émit un cliquetis métallique... Seul signe de vie dans cette grande maison qui autrefois résonnait de rires et de cris. Le trousseau était froid dans la main. Elle vérifia. La clé de l'appartement du garage s'y trouvait.

Cela faisait des semaines, et même des mois, qu'elle n'y avait pas mis les pieds. La dernière fois, c'était au moment où Malcomb avait fait installer une chambre noire tout équipée. L'appartement, pourtant, n'était pas loin. Mais c'était la tour d'ivoire de Malcomb, et elle respectait son besoin de solitude.

Du moins, avant tous ces mensonges.

Elle mit les clés dans sa poche et, déterminée, prit la direction du garage. Il y avait trop de cachotteries, trop de secrets entre eux. Cette maison lui venait de sa propre famille. Elle avait le droit d'aller jeter un coup d'œil là-haut.

Après tout, ce n'était qu'un bureau destiné au hobby de Malcomb. Elle n'allait pas y chercher les traces du passage de Karen...

Mais, quand elle arriva au pied de l'escalier, éclairé par la faible lueur rosée qui venait de l'extérieur, elle mesura à quel point ses craintes étaient paralysantes. Elle fut prise d'un frisson qui acheva de l'angoisser. Mon Dieu, qu'est-ce qui l'attendait donc là-haut ?

6.

Le père de Nicole avait fait construire cet appartement pour elle, à l'occasion de ses douze ans. Une entrée séparée avait été prévue, pour le cas où ce qui n'était au départ qu'une annexe serait devenu un véritable appartement indépendant. Il était composé d'un vaste séjour, équipé d'une cuisine américaine et d'une petite chambre à coucher avec un coin douche.

Dès le début, elle s'était prise d'affection pour ce lieu. Elle y recevait ses amies pour des goûters entre filles, pendant lesquels les plus courageuses s'occupaient au fourneau à préparer des cookies, tandis que les plus bavardes colportaient les derniers ragots de l'école. Parfois même, les amies restaient dormir, et c'étaient alors des soirées pyjamas délirantes, ponctuées de batailles de polochons et de confessions d'adolescentes au cœur frivole.

A un âge légèrement plus avancé, c'était l'endroit idéal pour se retrouver entre copains le samedi soir. Un jeu de cartes, des envies de refaire le monde, des pizzas bien garnies et, si l'on était chanceux, des bouteilles de bière. Mais la chance leur souriait rarement, car ces soirées ne se passaient jamais sans la présence d'un adulte. Au pire son père, au mieux l'oncle John.

Après le départ de Nicole pour l'université, l'appartement était resté inoccupé, jusqu'au soir où Dallas l'avait raccompagnée chez elle après une folle journée au QG de campagne de son père. Ce soir-là, ils avaient…

Sa main se crispa sur la rampe. Maudit Dallas ! Maudits souvenirs qui ne cessaient jamais de remonter à la surface… Quand Malcomb l'avait courtisée pour l'emmener tout droit à l'autel, sans aucun temps mort, elle n'avait pensé qu'au présent, et, bien sûr, au futur qu'ils allaient se construire ensemble.

Aujourd'hui, elle avait l'impression que son mariage avec Malcomb représentait la plus grosse erreur de sa vie. Cette fois, des serments avaient été échangés, des promesses avaient scellé leur confiance mutuelle.

La confiance. Une valeur morale largement mise à mal dans leur couple. Ne montait-elle pas les dernières marches de l'escalier sur la pointe des pieds, dans l'obscurité, exactement comme l'aurait fait un cambrioleur ? Mais il y avait plus éloquent : sa peur de découvrir là-haut ce que son imagination n'avait pu entrevoir.

Elle tenta de glisser la clé dans la serrure, mais elle tremblait tellement qu'au premier essai le trousseau tomba. Elle effectua une deuxième tentative. Mais la clé ne s'enfonça pas. Elle avait dû prendre la mauvaise. Un rapide coup d'œil au trousseau. C'était la bonne. Déterminée, elle essaya de nouveau. Impossible. La clé ne voulait pas tourner. Elle s'écarta de la porte, puis elle comprit. Elle dut s'asseoir sur une marche, sentant ses jambes se dérober sous elle. Malcomb avait changé la serrure sans lui en parler.

Après quelques secondes, elle entreprit de redescendre. Lentement. Posément. La colère monterait en elle, mais après. Pour l'instant, elle n'éprouvait qu'un cruel sentiment de trahison. Ainsi, pendant qu'elle s'évertuait à arrondir les angles, à comprendre les désirs de son mari, à trouver des idées pour relancer leur amour et retrouver la passion envolée, Malcomb l'avait littéralement laissée à la porte de sa vie. Tenue à l'écart.

En la berçant de mensonges et d'illusions.

Affalé dans son fauteuil, une part de pizza à moitié mangée dans la main, Dallas réfléchissait. Devant lui, sur son bureau en teck, il avait disposé toutes les notes relatives à l'affaire. Pas vraiment de quoi lui donner faim. D'un autre côté, la pizza, ruisselante de gras, n'était pas non plus appétissante. Mais quand il devait résoudre une affaire aussi douloureuse que celle-ci, il en oubliait le goût des aliments.

Pour résumer, il était à la recherche d'un détraqué de premier ordre, et c'était presque un qualificatif modéré pour définir celui qui avait assassiné Karen Tucker et trois autres femmes ces huit derniers mois. Toutes avaient été vidées de leur sang, et leurs corps retrouvés dans un péri-mètre de cinq kilomètres. Chaque fois, même profil de la victime : une brune, catégorie jeune et jolie.

Dallas se fit une liste mentale de tous les faits qu'il venait de relire, espérant entrevoir un élément nouveau, une piste passée inaperçue jusqu'ici.

Sur les trois premiers corps, on avait retrouvé des traces d'eau oxygénée, sans doute utilisée pour nettoyer la peau après que le sang eut coulé. Les coupures, perforations et déchirures au bas-ventre avaient été effectuées avant que les victimes ne soient mortes. Une séance de torture qui en disait long sur les rapports du tueur avec les femmes. Selon toutes les apparences, l'homme détestait les femmes, qui, pour lui, méritaient d'être punies sauvagement, ce dont il se chargeait avec plaisir et méticulosité.

Le rapport du médecin légiste indiquait aussi un taux élevé de barbiturique dans le sang des victimes. Une précaution pour éviter qu'elles ne se débattent et pour réduire à néant leur instinct de survie. Pas de viol. Et, surtout, aucun élément susceptible d'identifier l'auteur de ces boucheries.

Car, pour compliquer le travail des enquêteurs, le tueur, en possession de tous ses moyens, disposait sur les habits bien pliés des victimes — et en moindre quantité sur leur corps —des échantillons d'ADN, sous forme de salive, d'urine et de cheveux. Aucun fragment n'était identique d'un meurtre à l'autre. Il y avait autant de donateurs que de traces abandonnées.

Karen Tucker, elle, avait échappé à la séance de torture. Elle n'avait pas non plus été déshabillée ni nettoyée. Et son corps n'avait pas été déplacé, alors que pour les meurtres précédents, les victimes, une fois lavées, avaient été transportées dans un nouvel endroit.

Dallas porta les deux mains à sa nuque pour se masser les cervicales, qui lui faisaient tout d'un coup très mal.

— Qu'est-ce que tu fais ici à cette heure-là ? T'avais pas un super rendez-vous avec la nana qui fait la météo sur la chaîne locale ?

Il leva les yeux vers Corky, qui s'était arrêté dans l'embrasure de sa porte.

— J'ai préféré annuler. C'était un échec, couru d'avance, avec cette affaire à laquelle je n'arrête pas de penser.

— Je te comprends.

Corky, après avoir poussé le carton à pizza, se posa sur le coin du bureau et se servit une bonne part qu'il se mit à

86

engloutir sans scrupule, ignorant les morceaux de poivrons huileux qui tombaient sur les documents éparpillés.

Dallas se passa la main dans les cheveux.

— Je n'arrive pas à cerner ce type.

— Ah ! Moi, j'aimerais lui balancer cinq litres d'eau de Javel dans le gosier pour lui faire comprendre ma conception de la propreté. Au fait, comment s'est passée la deuxième entrevue avec Mme Lancaster ?

— Elle dit ne rien savoir des appels en questions.

Corky avala d'un coup un gros morceau de pizza.

— Et elle t'a convaincu ? demanda-t-il d'une voix étranglée.

— Plutôt. Apparemment, le numéro appelé est celui de l'atelier personnel de son mari, situé au-dessus du garage.

— Alors comme ça, le docteur et l'infirmière se passaient des coups de fil en douce, tard le soir ?

— On dirait.

Corky, après n'avoir fait qu'une bouchée de la croûte, prit une serviette en papier et enleva les filets de fromage fondu qui lui collaient aux doigts.

— Le bon docteur et la gentille infirmière prennent soin l'un de l'autre. La femme du docteur ne sait rien. Un jour, l'infirmière décide de téléphoner à la femme. Elle a son nom et son numéro dans sa poche. L'infirmière est retrouvée morte. Tiens, ça me rappelle le scénario d'il y a deux ans… Seulement, cette fois-là, on avait le riche P.-D.G. et la dévouée secrétaire.

— Tu l'as dit. Il y a des ressemblances. Ajoute à cela que Nicole m'a confié, cet après-midi, qu'elle avait reçu un appel anonyme le jeudi matin, d'une femme qui la prévenait que son mari était un menteur et une ordure.

— Hmm… Exactement le genre de nouvelle qu'une épouse rêve d'apprendre. Conclusion : quand est-ce qu'on va interroger le bon docteur ?

— Lundi matin ?

— Et pourquoi pas demain ? Le dimanche, c'est le jour des aveux. Tout le monde sait ça.

— Peut-être bien, mais à mon avis on ferait mieux de laisser le « bon docteur » mariner un peu. Sa femme va lui dire que nous savons qu'il a parlé à maintes reprises à la victime, ces dernières semaines. Et la pression va monter toute seule. Sans compter que j'aimerais récolter un peu d'infos sur le personnage…

— Tu ne crois pas que le Dr Lancaster est capable de se transformer en tueur en série à la tombée de la nuit ?

— Pas vraiment, non. Et toi ?

— Non ! On a plutôt affaire à un gars adepte des parties de jambes en l'air avec le personnel. Si c'était un crime, tous les médecins seraient en prison. Le pays en serait réduit à l'automédication ! plaisanta Corky.

Dallas s'empara des photos des corps, dans l'état exact où on les avait retrouvés, et les disposa devant lui, comme un jeu de cartes. Il avait déjà passé du temps dessus, à en étudier les moindres détails, et pourtant elles lui nouaient toujours autant l'estomac. Dallas avait un *a priori* très défavorable contre Malcomb Lancaster, en grande partie parce qu'il dormait tous les soirs auprès de Nicole. Mais, mis à part la mauvaise foi, il ne pouvait imaginer que Nicole eut épousé un homme aussi dénaturé que Freddie-les-Mains-Propres.

Freddie-les-Mains-Propres. Etrange, cette tradition de toujours donner un surnom aux tueurs en série. Dans cette affaire, l'auteur du surnom, c'était l'agent de police qui avait trouvé la première victime. Le nom était approprié, puisque la particularité frappante du tueur était qu'il avait nettoyé méticuleusement le corps de sa victime. Aussitôt, les autres policiers l'avaient repris. Dallas, lui, aurait trouvé une façon beaucoup moins correcte de nommer ce dingue.

— Freddie est un dangereux psychopathe, fit remarquer Corky en se penchant sur les photos. Ça n'exclut personne, pas même les médecins. J'espère que notre jolie experte en psychologie criminelle va vite nous transmettre ses résultats. J'ai hâte de voir ce que ça donne, surtout avec les données du dernier crime.

— Ça ne devrait plus tarder.

Corky tendit la main pour se saisir d'un cliché.

— On sait déjà une chose que la profileuse n'osera peut-être pas dire, c'est que ce détraqué doit être un échappé de l'hôpital psychiatrique.

— Moi, tout ce que je sais, c'est qu'il est dangereux et intelligent.

Corky descendit du bureau et se mit à piétiner d'impatience.

— Et comment on fait pour se mettre sur la piste d'un meurtrier qui ne laisse aucun indice derrière lui ?

— On part des victimes. Je veux tout savoir de la vie de Karen Tucker. Comment se déroulaient ses journées, ses nuits, qui elle avait l'habitude de voir : fiancé, amis, voisins. Même topo que pour les autres victimes. On va bien finir pas trouver ce qui les unit.

— Une maîtresse d'école, une danseuse de cabaret, une femme jockey et une infirmière... On va avoir du mal à mettre le doigt sur le fil conducteur.

— Le tueur a bien dû les rencontrer quelque part, sans doute dans un endroit où il pouvait capter leur attention.

— Et ce soir, il est peut-être bien à la recherche de sa prochaine victime, dit Corky. Je me demande où le Dr Lancaster se trouve, en ce moment.

— Chez lui, certainement. Il doit être en train de savourer un bon dîner en compagnie de sa femme.

Une pointe d'amertume s'était glissée dans sa remarque et, à voir le petit sourire de Corky, elle n'était pas passée inaperçue.

— T'es toujours entiché d'elle, hein ? Admets ! T'aimerais bien être à la place de Lancaster, hein, et pouvoir te faire sa femme ?

— Si je voulais me « faire » quelqu'un, comme tu dis, je serais sorti avec la fille de la météo.

— Tout en pensant à la femme du docteur.

— Eh, lâche-moi un peu, tu veux bien ?

— D'accord, j'arrête. Dis-moi seulement, toi qui connais bien Mme Lancaster, si d'après toi elle soupçonne son mari de quelque chose de louche ? Si Freddie et lui ne font qu'un, son comportement doit bien le trahir, parfois. Même en admettant qu'il soit un fin dissimulateur.

Dallas pensa à la conversation de l'après-midi avec Nicole. Il savait qu'elle était intelligente, mais elle avait une confiance aveugle en son mari, sans doute une façon inconsciente de se rassurer.

— Beaucoup de femmes mariées préfèrent ne voir que ce qu'elles veulent, ou du moins ce qui leur est supportable. Quand la vérité devient inévitable, elles sont frappées en plein cœur et tombent de très haut.

Dallas sentit l'inquiétude monter en lui et engourdir ses neurones. Il était quasi certain que Malcomb Lancaster n'avait rien à voir avec Freddie. Mais c'était le « quasi » qui le faisait tiquer. Tant qu'il n'en serait pas absolument sûr, il n'aurait pas de repos.

La tentation d'appeler Nicole s'empara de lui. Mais que lui dirait-il ? Qu'il y avait une chance infime pour que son mari soit le tueur en série qu'il recherchait ? Qu'elle devait s'échapper de la maison et venir le rejoindre pour qu'il la protège ?

Il ramassa les photos et les replaça dans leur enveloppe d'origine. Nicole savait très bien comment le trouver, et, en plus, elle avait son numéro de portable. Il ne pouvait guère se permettre de la relancer.

La sonnerie du téléphone retentit à ce moment. Il décrocha, pensant immédiatement que c'était un appel de Nicole. Mais il s'agissait du médecin légiste.

— Je savais bien que je te trouverais à ton bureau.

— Du nouveau ? demanda Dallas, surpris d'avoir des nouvelles de l'autopsie à cette heure avancée.

— Je viens de finir mon expertise sur Karen Tucker et ce que j'ai trouvé risque de t'intéresser.

— Je t'écoute.

— Elle était enceinte de quatre mois.

« Appelle-moi si tu as besoin de quoi que ce soit. »

La proposition de Dallas surgit dans l'esprit de Nicole comme une évidence. Elle prit sa carte de visite, restée dans sa poche de pantalon, et commença à composer le numéro. La première sonnerie eut sur elle l'effet d'un réveille-matin et, avant la seconde, elle avait raccroché, heureuse de ce réflexe. Elle était passée à deux doigts d'une belle idiotie.

Pour Dallas, il n'y avait que l'enquête. Ce qu'il recherchait, c'étaient des faits au sujet de cette jeune femme morte. Par exemple, des détails sur les coups de fil que Malcomb et elle avaient échangés. Pourquoi est-ce que Nicole irait raconter à un inspecteur de police les déboires de sa vie conjugale et le sentiment d'échec qu'elle ressentait ? Enfin, dans l'hypothèse où Dallas serait prêt à l'écouter, elle-même n'était pas prête à lui redonner un rôle dans sa vie, même celui de simple allié.

Elle devrait affronter Malcomb seule.

Elle lui demanderait une explication pour le changement de serrure, et il lui en donnerait une parfaitement raisonnable, à laquelle elle ne pourrait rien objecter. Un stratagème désarmant, qu'il avait déjà utilisé à propos des appels de Karen.

Restaient les gestes de la vie de tous les jours, qui, eux, ne trompaient pas. Pendant leurs fiançailles, tout n'était que splendeurs et réjouissances. Leur vie de couple, en revanche, ressemblait à un enfer. Auparavant, Malcomb débordait d'amour et d'attentions pour elle. Dix mois après la cérémonie, elle avait l'impression qu'ils vivaient sur deux planètes différentes, situées à plusieurs galaxies de distance.

Le téléphone se mit à sonner. Elle eut un violent sursaut, et se mit à trembler de tout son corps. Elle inspira profondément, compta jusqu'à dix, et décrocha.

— Allô ?

— Bonjour, Nicole. C'est ton frère, Ronnie.

Son moral remonta aussitôt. Il avait une façon tellement amusante de se présenter ! Comme si elle n'était pas capable de reconnaître sa voix...

— Salut, Ronnie. Comment vas-tu ?

— Comment vas-tu ? Ronnie va bien, lui.

Il répétait ce qu'elle venait de dire. Un tic qu'il avait quand il était sous le coup d'une contrariété.

— C'est super de t'entendre, dit-elle.

— C'est super de t'entendre. Tu manques à Ronnie.

— Tu me manques aussi. Est-ce que tu as regardé la télé, ce soir ?

— Regardé la télé ce soir. La sorcière Samantha fait bouger son nez. Elle est drôle.

— Oui, elle est très drôle.

Ronnie ne se lassait jamais des vieilles séries, dont il se repassait souvent en boucle les mêmes épisodes.

— Elle est très drôle. Je veux venir à la maison.

Une lourde culpabilité s'abattit sur elle, s'ajoutant au lot d'amertume et de désarroi qui la torturait déjà. A la suite de la mort de son père, c'était avant tout pour Ronnie qu'elle était revenue à Shreveport. Elle voulait qu'il continue à rentrer tous les week-ends à la maison, comme il l'avait toujours fait. Quand son père était en déplacement, on s'arrangeait pour qu'il y ait quelqu'un pour rester avec lui. C'était une façon de lui montrer qu'il faisait partie intégrante de la famille.

Mais depuis quelque temps, bien contre son gré, elle le laissait de côté. Impossible de le prendre ce week-end. Il avait un radar très efficace pour percevoir les malaises, et on ne pouvait jamais prévoir ses réactions.

— Demain, je vais venir te voir, dit-elle. On ira faire un tour.

— Tu viens voir Ronnie demain.

— C'est ça. Demain matin, après ton petit déjeuner. Ça te dit ?

— Oui.

Ils échangèrent encore quelques mots, et Nicole remarqua que les répétitions s'atténuaient. Peut-être une promesse de visite suffisait-elle à le faire changer d'humeur. Il ne demandait pas grand-chose, au fond. Quoi qu'il puisse arriver à l'avenir entre elle et Malcomb, elle devrait tout mettre en œuvre pour que Ronnie revienne passer les week-ends à la maison. Son rôle n'était-il pas de veiller sur lui ?

Quand elle raccrocha, elle était un peu apaisée, suffisamment pour prendre un peu de recul. En vérité, sous le coup des émotions de la journée, elle n'était plus en mesure de penser correctement. Surtout pas de prendre des décisions rationnelles. Alors, autant se ménager un moment de répit. Un verre de vin, un dîner léger, et elle irait droit au lit avec un bon roman pour s'endormir. Avec un peu de chance, Malcomb rentrerait tard dans la nuit. Elle n'avait guère envie de le voir ce soir.

Ce n'était pas à lui qu'elle pensait alors qu'elle sortait le cheddar du réfrigérateur et les crackers du placard. C'était à Karen Tucker.

De quoi Karen avait-elle bien pu parler avec Malcomb, pendant ces quatorze appels ? Et qu'avait-elle eu l'intention de faire ? Si Nicole avait seulement pu parler avec elle…

Une nuit sans lune, froide et angoissante. Nicole s'avance, enveloppée dans un brouillard épais. Elle monte les marches glissantes qui mènent à l'atelier de Malcomb. La peur lui serre la gorge, et l'air glacial lui brûle les poumons. Une pulsion incontrôlable l'a amenée jusqu'ici. Un appel. Un appel au secours.

Il fallait qu'elle y retourne.

Non mais qu'est-ce qu'il lui prend ? Elle ne doit pas y retourner. Cette pièce, c'est le repaire de Malcomb. La voix qui appelle, c'est Malcomb qu'elle réclame.

Nicole veut faire demi-tour, pour rentrer à la maison, retourner dans son lit bien chaud. Mais dans l'action, son pied glisse et elle tombe. La chute n'en finit pas.

— Ne crains rien. Je vais te sauver, Nicole.

— *Dallas ! Tu es venu.*

Il tend le bras et essaye de l'attraper par la main, mais elle a les doigts fuyants. Elle tombe tête en avant. Les marches métalliques se rapprochent.

— *Dallas… S'il te plaît. Aide-moi !*

Ça y est. Il la tient. Seulement, elle a mal. Il lui a tordu le bras en la remettant sur pied. Tiens, il a un objet étrange dans la main. C'est un couteau. Une douleur fulgurante la transperce alors qu'il lui enfonce le couteau dans le corps. Un liquide poisseux et chaud coule de sa plaie. Mais ce n'est pas Dallas qui lui a fait mal. Non, c'est un inconnu. Un homme sans visage.

Elle veut hurler. Seul un râle rauque sort de sa bouche.

— *Dallas…*

Nicole sursauta et ouvrit les yeux. Mon Dieu, elle venait d'avoir un cauchemar. Tout lui avait paru si réel ! Son cœur battait la chamade.

Dans le silence de la chambre, elle entendit une respiration rapide, affolée.

Ce n'était pas la sienne.

7.

Elle poussa un cri tout en se redressant dans son lit. La lampe de chevet s'alluma.

— Malcomb ?

— Tu attendais quelqu'un d'autre ?

— Non.

Elle était sortie de son cauchemar mais se trouvait toujours sous son emprise, en proie à une peur maligne.

— Je ne t'ai pas entendu rentrer. Tu m'as fait peur.

— Tu semblais faire un rêve bien prenant.

— Dérangeant, surtout. Je suis contente que tu m'aies réveillée.

— Tu appelais ton copain flic. Votre rencontre, cet après-midi, a dû être torride, à en croire l'énergie avec laquelle tu criais son nom.

— Nous avons pris un café et parlé des appels de Karen Tucker. Je te l'ai déjà raconté.

— Café et papotage, dit-il d'un ton léger. N'empêche, ce type hante tes rêves.

Comment osait-il l'accabler avec cette histoire de rêve ? S'il y en avait un des deux qui avait le droit d'être en colère, c'était bien elle.

— Je n'ai pas à justifier mes cauchemars, Malcomb. Je te rappelle que j'ai eu une journée lourde en émotions, avec toutes ces conversations au sujet du meurtre.

— Alors, cesse d'en parler.

— J'aimerais bien. Mais je suis liée, sans savoir comment, à Karen Tucker.

— Tu vois ! C'est exactement pourquoi je ne veux plus que tu voies ton copain flic. Il t'a bourré le crâne avec ses suppositions hasardeuses. Et maintenant, tu le retrouves dans ton sommeil, en plein cauchemar. S'il a d'autres questions sur Karen Tucker, qu'il vienne me trouver, *moi*. Je t'interdis de le revoir.

Il s'assit sur le lit et lui prit la main fermement.

— Est-ce que c'est clair, Nicole ?

— Tu me menaces, Malcomb ?

— Bien sûr que non, chérie ! Je veux te protéger.

— De la même manière que tu le faisais en me mentant au sujet de Karen ?

— Exactement. Karen ne fait pas partie de ton monde, Nicole.

— Karen ne fait plus partie du monde de personne.

— Alors, je ne vois pas pourquoi nous perdons tant de temps à parler d'elle.

Il avait adopté un ton froid et détaché. Lâchant sa main, il se leva.

— La journée a été longue. Si tu vas mieux, je vais aller en bas manger un morceau. Ensuite, je remonte me coucher. En espérant que la nuit sera tranquille. Je ne veux plus entendre parler de Karen Tucker ou de Dallas Mitchell.

— Très bien. Moi aussi, j'en ai assez de cette affaire...

Mais, qu'il le veuille ou non, il faudrait qu'ils se décident à parler de leur couple. S'il restait encore quelque chose à sauver de leur mariage.

Elle en doutait. Mensonges, tromperies, portes fermées à clé… Et puis, ce ton détaché que prenait Malcomb pour parler du meurtre d'une femme avec qui il avait passé des heures au téléphone… Comme si rien ne le touchait. Nicole se sentait perdue dans une grotte sans issue. Où qu'elle aille, elle se heurtait à un obstacle et s'enfonçait de plus belle dans l'obscurité.

Elle prit appui sur un coude pour éteindre sa lampe de chevet. Une douleur subite la saisit au bras. Elle passa la main à l'endroit où elle avait mal et vit des marques rouges sur sa peau. Exactement à l'emplacement où, dans son rêve, on lui avait tordu le bras. Pourtant, les rêves ne laissent pas de traces. Elle avait dû, dans son sommeil, se prendre le bras entre le lit et la table de chevet. A moins que…

Non ! Malcomb ne lui aurait pas fait aussi mal au bras, même en la secouant pour la réveiller. Il avait certes beaucoup de défauts, mais jamais il n'aurait porté la main sur elle ou sur qui que ce soit. Il était médecin et passait ses journées à sauver des vies.

Cependant, une fois la lumière éteinte, elle ne put s'empêcher de souhaiter être endormie quand il reviendrait se coucher. A l'idée qu'il la regarde ou la prenne dans ses bras, elle frissonnait. Et s'il voulait faire l'amour ? Elle ne supporterait pas ses caresses ce soir. Ni même, craignit-elle, un autre soir.

Le lendemain matin, grâce à un magnifique soleil d'automne qui illuminait le ciel, Nicole s'était sentie ragaillardie. Même Malcomb avait eu l'air dans de meilleures dispositions. Il s'était levé plus tôt et lui avait fait la surprise de lui apporter son petit déjeuner au lit. De délicieuses gaufres, recouvertes de coulis de framboise et de crème légère, servies avec du café noir et un jus d'orange frais.

Elle fit tourner sa voiture dans le parking de l'institution, déterminée à laisser ses problèmes de couple de côté. Le reste de la matinée serait consacré à Ronnie. Comme elle ne pouvait le prendre ce week-end, elle avait apporté un peu de la maison avec elle : son gant et sa balle de base-ball, ainsi que sa vieille chemise en jean, criblée de taches indélébiles sur le devant, avec un accroc sur la manche droite. C'était cette chemise qu'il mettait toujours pour aider à ratisser le jardin. Elle avait aussi pris le jeu d'échecs que son père avait rapporté d'Angleterre plusieurs années auparavant. Ronnie avait passé des heures à jouer, seul ou contre un adversaire, déplaçant les pièces avec une efficacité remarquable.

Son habileté extraordinaire aux échecs étonnait tout le monde, y compris les médecins qui savaient qu'un autiste pouvait posséder, enfouie en lui, une grande intelligence. Ronnie n'était pas capable de converser avec un inconnu, mais, aux échecs, il savait contrer des tactiques extrêmement complexes.

Elle prit le carton d'affaires dans les bras, ferma la porte d'un coup de hanche et avança d'un pas précipité vers l'entrée. Elle avait autant besoin que Ronnie de cette petite réunion de famille. Rien de plus fort que les liens du sang, disait-on. Et puis, avec Ronnie, elle savait où elle allait.

Ronnie surgit à l'angle de la maison, avant même qu'elle ne parvienne à la porte. Et juste derrière lui, Dallas

Mitchell. Elle s'arrêta, prise au dépourvu par une émotion qui ressemblait fort à de l'exaltation.

— Bonjour, Nicole. *Tu me le connais*, Dallas ?

Comme souvent, les propos de Ronnie s'embrouillaient un peu. Sa joie, cependant, faisait plaisir à voir. Nicole n'en fut pas surprise. Dallas avait ce don d'envoûter les autres jusqu'à les rendre euphoriques. N'en avait-elle pas fait l'expérience ?

— Je connais Dallas, répondit-elle.

— Tu m'as dit que je pouvais venir lui rendre visite, dit ce dernier en lui prenant le carton des mains.

— Je ne m'attendais pas à ce que tu passes ce matin.

— Je peux vous laisser tous les deux et revenir plus tard.

— Tu préfères ?

Il entrouvrit les lèvres et fit une moue hésitante qui réveilla chez Nicole des souvenirs espiègles.

— Oui et… non.

Si elle avait été avisée, elle lui aurait demandé de partir.

— Alors, reste.

Curieux comme, parfois, elle agissait à la légère. A l'encontre du bon sens le plus rudimentaire.

Assise sur une table de pique-nique, les jambes ballantes, Nicole regardait Dallas et Ronnie faire des passes avec la balle de base-ball. Ils effectuaient des lancers réguliers, au rythme que Ronnie aimait, ni trop vite, ni trop lentement, et sans se déplacer. La succession de gestes devait pour Ronnie être fluide, et les bruits générés par cette activité monotone finissaient par faire penser au refrain d'un air familier.

C'était Dallas qui avait eu l'idée d'aller à Ford Park. Ils avaient pris sa voiture, et après deux arrêts, l'un au drive-in pour prendre des nuggets de poulet, ceux que Ronnie préférait, puis dans un supermarché, ils étaient arrivés à destination, équipés pour la journée. Ils avaient passé la première heure sur les lieux à suivre Ronnie qui avait entrepris de faire le tour du lac, explorant chaque rive, et s'arrêtant pour étudier du regard l'évolution des cercles que dessinaient, dans l'eau, les cailloux qu'il s'amusait à lancer.

— Bon, si on faisait une pause pour manger ? dit Dallas, gardant la balle dans sa main au lieu de la relancer. Qu'en dis-tu, Ronnie ?

— Pause pour manger. Pause pour manger. Oui. Oui. Manger nuggets.

— Le premier à la table ! lança Dallas.

Ronnie partit dans la direction opposée, riant à gorge déployée. Dallas fit semblant de le poursuivre un peu, puis revint pour aller chercher la nourriture dans la voiture. Il déposa les sacs sur la table, à côté de Nicole. Ronnie, toujours séduit par Dallas, s'était mis à le suivre, mais il changea d'idée quand un papillon capta son attention.

— Ne t'éloigne pas trop, Ronnie ! cria Dallas. Reste en vue.

— Ne t'éloigne pas trop, reprit Ronnie.

— C'est ça.

— C'est ça.

— Je n'en reviens pas. Il se souvient parfaitement de toi, dit Nicole tout en ouvrant un paquet de chips. Je ne crois pas qu'il se soit jamais souvenu d'une personne qu'il n'avait pas vue depuis plusieurs mois.

Dallas sortit trois canettes froides d'un étui de glace.

— Pourquoi penses-tu que je ne l'ai pas vu depuis neuf ans ?

— Parce que c'était quand…

Quand il l'avait séduite et plaquée, pratiquement en même temps. Pourquoi ne l'avait-elle pas dit, tout simplement ? Ce n'était pas un secret. Elle lui tourna le dos et, s'armant d'une fourchette en plastique, commença à remplir une assiette en carton de morceaux de poulet.

— Tu as bien quitté l'équipe de la campagne électorale il y a neuf ans, non ? demanda-t-elle.

— Oui, mais Ronnie et moi étions devenus amis, et ton père m'avait autorisé à le voir de temps en temps.

— Tu venais à la maison ?

— Pas souvent, mais c'est arrivé. Toi, tu es partie de l'université de Tulane pour Washington, tu te souviens ? Tu ne venais plus à Shreveport très souvent. Et quand il est entré à l'institution, j'allais lui rendre visite à peu près tous les mois. Jusqu'à l'année dernière.

— Pourquoi jusqu'à l'année dernière ?

Dallas plissa les yeux et la regarda fixement.

— J'imaginais que tu étais au courant.

— Au courant de quoi ?

— J'ai rencontré ton mari, un vendredi après-midi, à l'institution, alors qu'il venait chercher Ronnie. Et il m'a demandé de rester à l'écart.

— Malcomb ne m'en a jamais parlé !

— Il a dû oublier.

Encore un oubli ! Ça commençait à faire beaucoup.

— C'était à quel moment ?

— En décembre dernier. La veille de l'anniversaire de Ronnie. J'étais venu l'emmener fêter ça au glacier.

L'anniversaire de Ronnie. Une semaine avant le mariage. Déjà à cette époque, Malcomb avait eu des secrets. Dans quel but ? Elle se sentit tout étourdie.

— Est-ce qu'il t'a dit pourquoi tu devais ne plus voir Ronnie ?

— Il m'a donné comme raison que Ronnie avait été contrarié les jours précédents, et que, toi et lui, vous aviez décidé de limiter au maximum le temps qu'il passait avec des personnes extérieures à la famille.

Faux. Ils n'avaient jamais abordé ce sujet. Comment avait-elle pu se laisser berner par la séduction de Malcomb ? Elle se revit en robe de mariée, marchant au bras de ce dernier dans l'allée centrale. Comment en était-elle arrivée là ? Leur relation, se rappelait-elle avoir pensé, était particulière. Rien à voir avec la passion irréfléchie qu'elle avait connue avec Dallas. Ce qu'ils éprouvaient l'un pour l'autre semblait profond et durable. Et voilà qu'aujourd'hui elle pressentait que Malcomb avait sans doute tout calculé depuis le début, même les moments les plus spontanés qu'ils avaient partagés. Mais pour quel motif ? Dans quel but ?

— Nicole, tu te sens bien ?

— Non, pas très bien, mais ça va passer...

Il ouvrit la bouche pour parler, mais elle l'arrêta d'un geste de la main.

— Restons-en là. Je crois qu'on ferait bien de manger rapidement et de ramener Ronnie à l'institution avant qu'il ne soit épuisé.

Il haussa les épaules.

— Si tu veux.

— Je le veux.

Quelques secondes après, alors que Ronnie arrivait à table, elle avait si chaud qu'elle enleva son sweat-shirt.

La température extérieure n'avait pas changé. C'était l'accumulation bouillonnante des frustrations et de la colère qui modifiait sa température intérieure.

Dallas et Ronnie riaient ensemble. Elle tendit le bras au-dessus de la table pour présenter à Ronnie une assiette remplie de nourriture. Dallas lui prit la main alors qu'elle posait l'assiette sur la table. Il avait les yeux fixés sur les cinq petits bleus violacés qu'elle portait à l'avant-bras.

— Comment t'es-tu fait cela ?

— Aucune idée. Ma peau marque facilement.

— M'asseoir au pied de l'arbre, dit Ronnie en prenant son assiette.

— Va t'asseoir au pied de l'arbre si tu veux, dit Nicole. Tu seras à l'ombre. Je te rejoins tout de suite.

Elle n'eut pas le temps de se pencher pour prendre son assiette que Dallas l'attrapait par la taille, la bloquant contre lui. Il plaça l'extrémité de ses doigts sur les marques.

— Des traces laissées par des doigts... Est-ce que c'est Malcomb qui t'a fait ça ? demanda-t-il d'une voix trop basse pour que Ronnie entende, mais sur un ton assez ferme pour trahir sa colère.

— Je te l'ai dit. Je ne sais pas comment je me suis fait ça. En revanche, je suis sûre que ce ne sont pas des marques de doigts. Je m'en souviendrais, si quelqu'un m'avait empoignée aussi fortement.

Elle se dégagea et alla rejoindre Ronnie, installé sur un tapis d'épines roussies. Elle savait que Dallas ne la croyait pas. Elle-même avait des doutes, d'ailleurs. Mais il n'était pas question qu'elle lui fasse part de ses problèmes personnels. La situation était déjà bien assez confuse.

Dallas s'assit à côté d'elle. De temps en temps, leurs genoux se touchaient, renforçant en elle la conscience de leur proximité physique. Elle avait du mal à se concentrer sur son assiette. Quand son téléphone portable sonna, elle répondit avec ferveur, heureuse de la diversion procurée par l'appel.

C'était Mathilda. Au ton de sa voix, Nicole sut, dès les premiers mots, que son amie avait quelque chose de sérieux à lui annoncer.

— Ma belle-sœur, Penny Washington, vient de m'appeler, commença Mathilda, tu ne la connais pas, mais elle travaille comme infirmière au Mercy General. Elle voudrait te parler.

— A quel sujet ?

— Au sujet de ton mari et d'une amie à elle qui a été assassinée.

— Est-ce que son amie s'appelait Karen Tucker ?

— Oui.

Dallas s'était redressé en entendant le nom. Nicole se leva pour s'éloigner, mais il la suivit, l'interrogeant du regard alors qu'elle continuait de parler.

— As-tu le numéro de téléphone de Penny ?

— Oui, mais elle préfère éviter le téléphone. Elle a insisté pour te rencontrer en personne.

— Est-ce qu'elle sait quelque chose sur le meurtre ?

— J'imagine, mais elle ne m'a rien dit de plus. J'ai voulu l'interroger, mais elle semblait si choquée par la mort de son amie que j'ai préféré ne pas en rajouter.

— Alors, donne-moi son adresse. Je suis au parc avec Ronnie pour l'instant, mais quand je l'aurai ramené à l'institution, je passerai voir Penny.

Après avoir noté l'adresse d'une main tremblante sur un coin d'agenda, elle raccrocha.

— Qui était-ce ? demanda Dallas sans attendre une seconde.

A mesure qu'elle lui racontait l'appel, il ouvrait de grands yeux.

— Rappelle ton amie. Il faut que je lui parle.

— Je ne vois pas ce qu'elle va pouvoir t'apprendre d'autre.

— On ne sait jamais. Rappelle-la, s'il te plaît.

Un soupir d'agacement lui échappa, mais elle composa néanmoins le numéro et lui tendit l'appareil après la première sonnerie. Fascinée, elle le regarda se fondre dans son rôle professionnel. Il maîtrisait le cours de la conversation avec virtuosité, les yeux rivés sur le sol devant lui, tout à l'échange avec son interlocutrice. Pas de doute : il avait mûri, depuis le temps où il travaillait sur la campagne électorale de son père. En revanche, il jouait toujours de son assurance verbale, qui faisait son charme autrefois, pour désarmer les autres.

Avec elle, il n'en avait pas usé. Il avait même failli ne pas lui proposer de la ramener chez elle, sur sa moto, cette dernière nuit, avant qu'elle ne retourne à La Nouvelle-Orléans. A peine avait-il formulé la proposition qu'elle avait promptement accepté. D'ailleurs, elle était déjà tellement éprise de lui qu'elle aurait sauté dans l'eau glacée d'un lac de montagne, s'il le lui avait demandé.

Ce soir-là, quelques minutes après leur départ, un orage avait éclaté et, le temps qu'ils arrivent à l'appartement au-dessus du garage, ils étaient trempés des pieds à la tête. Il avait commencé à enlever ses vêtements avant même d'avoir franchi la porte, puis il s'était occupé de la dévêtir.

Les souvenirs resurgissaient dans son esprit, si réels, si excitants qu'elle avait l'impression de revivre le moment où il avait passé les mains sous sa jupe, puis enlevé ses sous-vêtements. Et ses baisers fougueux… Elle retrouvait leur goût salé. Elle eut l'impression de percevoir de nouveau l'accélération de son souffle alors qu'il s'apprêtait, quelques secondes après elle, à atteindre le sommet du plaisir.

Elle s'affaissa le dos contre un arbre, le cœur battant comme après un effort. Ces souvenirs-là, elle n'avait plus le droit de les évoquer. Leur histoire se résumait à cette nuit de folie, neuf ans plus tôt. Depuis, rien. Elle avait fini par ne plus y penser. C'étaient sans doute ses soucis actuels qui redonnaient vie à ces puissantes images du passé.

— Manger ton poulet, Nicole. Manger ton poulet, dit Ronnie en montrant du doigt l'assiette pleine qu'elle avait laissée par terre.

—Tu as raison, il faut que je mange.

Seulement, son estomac contracté ne semblait pas de cet avis, et il était à parier qu'il se rebellerait sans hésitation, si elle avalait une bouchée de nourriture. Mais pour faire plaisir à Ronnie, elle fit semblant de ronger un morceau de poulet. Dallas revint au pied de l'arbre. Il avait l'air soucieux.

— Alors, concluant, cet entretien avec Mathilda ?

— Pas vraiment, non.

— J'espère que j'en apprendrai plus auprès de sa belle-sœur.

— Tu n'as aucune raison de rencontrer Penny Washington. Je l'ai dit à Mathilda. Tu n'as rien à voir avec cette enquête, dit Dallas, d'un ton dur.

— Ce n'est pas ce que tu pensais hier.

— Hier, je n'avais pas le choix. Aujourd'hui, si.

— Ne fais pas le têtu, Dallas. Sa belle-sœur veut me voir. J'y vais.

— Têtue, têtue, têtue.

Le mot intriguait Ronnie, apparemment. Il le répétait en faisant des cercles avec sa fourchette dans son assiette, ignorant le désordre créé et la nourriture qui passait par-dessus le bord.

Dallas la prit par la main et l'entraîna à l'écart de Ronnie.

— C'est une affaire de meurtre, Nicole. Et le type que nous recherchons est un dangereux meurtrier. Ce n'est pas un jeu de Cluedo !

— Je m'en doutais, figure-toi ! Mais ce que Penny Washington veut me dire concerne mon mari, et je tiens à savoir de quoi il s'agit.

— Obstruction à l'enquête. Ça peut te coûter cher.

Nicole tendit les deux mains vers lui, joignant les poignets.

— Tu as des menottes avec toi ?

Il secoua la tête, la dévisageant comme si elle avait perdu l'esprit.

— Pourquoi t'obstines-tu, Nicole ?

— Parce que j'en ai plus qu'assez d'être la seule à ne pas savoir qui est mon mari. Maintenant, si tu veux m'accompagner, Dallas, viens avec moi. De toute façon, j'y vais.

Elle n'avait plus la moindre envie de terminer son assiette. Dallas, au contraire, finit le reste de nuggets, les chips, sa canette de soda, et, avec la même efficacité, rangea les affaires, et fit monter tout le monde en voiture. Après avoir ramené Ronnie à l'institution, ils prirent la direction du quartier de Penny Washington.

Celle-ci habitait une petite maison dans le vieux centre-ville. Son jardin était très bien entretenu, avec une pelouse irréprochable et des massifs de fleurs aux couleurs pimpantes. Au milieu de l'allée, un vélo d'enfant était abandonné. Ils avancèrent, accueillis par une bonne odeur de viande grillée qui provenait d'un barbecue voisin.

Dallas prit le bras de Nicole alors qu'ils faisaient leur derniers pas jusqu'à la porte.

— Ça va ?

— Presque.

— On peut repartir, si tu veux…

— Quoi ? Pour aller me cacher dans ma maison vide et faire l'autruche ?

— C'est une stratégie qui a fait ses preuves.

— Dans ce cas, Malcomb aurait dû épouser une autruche.

Elle tendit le doigt vers la sonnette, puis se ravisa.

— Je ne suis pas encore au courant de la nature des relations que mon mari entretenait avec Karen Tucker, mais tu te peux te fier à moi, je sais qu'il ne l'a pas tuée.

— Comment peux-tu en être sûre ?

— Il est…

La réponse aurait dû sortir de sa bouche sans qu'elle ait à réfléchir. Mais le regard inquisiteur de Dallas la troublait, et elle ne parvint pas, en son âme et conscience, à trouver les raisons qui auraient donné du poids à sa déclaration.

— Malcomb est chirurgien, acheva-t-elle.

— Et alors ?

Elle fut dispensée d'en dire plus grâce à l'intervention opportune de Penny qui ouvrit la porte.

— Je n'ai pas entendu la sonnette. Elle est très capricieuse.

— Pas cette fois, en tous cas, dit Dallas. Nous n'avions pas encore appuyé dessus.

Il lui tendit la main.

— Je suis l'inspecteur Dallas Mitchell, et voici Nicole Lancaster.

— Je savais qui vous étiez, dit Penny à l'adresse de Nicole. Mathilda m'avait fait une description de vous. Je vous en prie, entrez.

Penny était un joli brin de femme au visage doux et à l'allure gracieuse. Mais la gentillesse de son accueil ne réussissait pas à faire oublier que leur venue n'avait rien d'une visite de courtoisie. On voyait qu'elle était triste et nerveuse à la fois. Elle leur désigna le canapé.

— Asseyez-vous. Est-ce que je peux vous servir quelque chose à boire ? Thé, café ?

Nicole s'apprêtait à refuser, mais Dallas réagit le premier et accepta un café. Elle fit de même.

— Ça détend l'atmosphère, d'accepter ce qui est proposé de bonne grâce, commenta Dallas quand Penny eut quitté la pièce. En jouant sur la corde conviviale, on obtient parfois plus d'informations.

— J'avais oublié que tu étais expert en la matière.

— Ce n'est pourtant pas l'aspect de mon boulot que je préfère.

— Ah bon ? Quel aspect préfères-tu, dans une affaire de meurtre ? Pour moi, tout y est épouvantable. Des fous en vadrouille, des corps sans vie…

— Nous n'avons pas un métier très différent de celui des médecins. Comme eux, nous côtoyons la maladie et la mort.

— Mais eux sauvent des vies.

— Moi aussi, si je m'y prends bien.

Penny revint avec un plateau chargé de trois tasses fumantes qu'elle disposa sur la table basse.

— Ce matin, au réveil, je n'avais pas l'intention de vous parler. J'avais prévu d'aller faire du shopping après avoir déposé mon fils à la salle de sports.

— Qu'est-ce qui vous a fait changer d'avis ? demanda Dallas.

— Une visite du Dr Lancaster.

Penny releva les yeux. Nicole aurait juré avoir vu de la crainte dans ces yeux-là. Un nouveau moment de vérité s'annonça pour Nicole.

Dallas se rapprocha d'elle et lui prit les deux mains. Elle s'appuya contre lui, soulagée de son soutien. Même si elle savait qu'elle ne devrait pas accepter le rôle de bouée de sauvetage que lui offrait Dallas Mitchell...

8.

Penny Washington n'inspirait pas confiance à Dallas. Quelle sorte d'information pouvait-elle bien avoir à leur livrer sur Malcomb Lancaster ? Si c'était en rapport avec le meurtre, le bon réflexe aurait été d'appeler la police. Pas Nicole. Et si c'était une affaire de commérages, le moment était très mal choisi.

— Pour quelle raison mon mari est-il venu vous voir ce matin ?

En posant la question, Nicole avait resserré ses doigts sur ceux de Dallas, comme pour se protéger de la réponse de Penny.

C'était exactement ce qu'il aurait aimé faire : l'entraîner hors de cette maison, dans un endroit où le mal n'existait pas. Car les retombées du meurtre de Karen Tucker sur la vie de Nicole prenaient des proportions incontrôlables qu'il n'avait pas imaginées, et contre lesquelles il ne pouvait malheureusement rien.

Penny avala une gorgée de café et, tout en les regardant au-dessus de sa tasse, elle répondit :

— Le Dr Lancaster voulait savoir si Karen m'avait révélé le nom de l'homme qu'elle fréquentait.

Dallas s'était attendu à autre chose. Mais l'information piqua son intérêt.

— Karen vous l'avait dit ?

— Non. Elle n'a pas voulu. Tout ce qu'elle m'a dit, c'est qu'il était marié et qu'elle voulait le protéger du scandale.

— C'était gentil de sa part, hasarda-t-il.

— Plutôt stupide, si vous voulez mon avis, objecta Penny.

Il n'arrivait pas encore à cerner le but de cette conversation, mais il avait hâte d'en apprendre plus.

— Est-ce que Karen sortait avec quelqu'un de l'hôpital ?

— Oui, un médecin.

Nicole eut un frisson nerveux et s'accrocha à lui encore plus fort.

— Pensez-vous que Karen avait une liaison avec mon mari ?

Nicole, dont la voix trahissait l'angoisse, se montrait prête à affronter les réponses les plus dérangeantes. Il l'avait toujours connue digne et courageuse.

Penny hésita à répondre.

— Si vous pensez que Karen et mon mari se fréquentaient, je vous en prie, dites-le.

— Ce n'était pas le Dr Lancaster. Je connais beaucoup d'infirmières qui se démènent dans l'espoir d'attirer son attention, mais il ignore leur manège. Il est amical, mais professionnel avant tout. Et, manifestement, très amoureux de vous.

Elle adressa à Nicole un sourire entendu.

— Vous avez beaucoup de chance.

— Merci.

Nicole lâcha les mains de Dallas et s'adossa à la banquette, à l'évidence soulagée par la réponse de Penny. Dallas, lui, restait sur un sentiment plus mitigé. Cette conversation sonnait faux, et son rôle consistait à trouver pourquoi.

— Vous nous avez dit pourquoi Malcomb Lancaster était venu vous voir, reprit-il, mais je ne m'explique pas pourquoi vous avez voulu parler à Nicole...

— Je savais que Karen avait l'intention de l'appeler, et je me demandais si elle l'avait fait.

— Comment étiez-vous au courant ?

— Karen m'avait parlé de son plan la veille du jour où on l'a assassinée. Tout était prévu. Enfin... pas sa mort tragique.

Penny leva les mains en signe d'exaspération.

— De toute façon, son plan n'aurait pas marché.

— Vous voulez bien nous expliquer le plan en question ? demanda Dallas.

— Ça m'embête d'en dire plus, répondit-elle avec une grimace. On va croire que je fais courir des ragots sur une morte.

— En l'occurrence, il s'agit d'aider la police à retrouver l'assassin de votre amie. Je crois qu'elle vous en serait plutôt reconnaissante.

— Je sais, et c'est pourquoi je vais vous raconter. De toute façon, inspecteur, vous auriez fini par l'apprendre. Voilà : Karen était enceinte. Au départ, elle ne voulait rien me dire, mais il y a quinze jours elle a débarqué chez moi en pleine nuit. Elle était très énervée, et j'ai vu tout de suite qu'elle avait pleuré. Bref, la voyant aussi retournée, je l'ai questionnée et elle a fini par m'avouer son état...

— Le père, c'était son petit copain marié ?

— Oui.

— Et lui, il était au courant, pour l'enfant ?

— Il le savait, mais cette ordure ne voulait rien entendre...

114

— Et le plan ? demanda Dallas pour en revenir à l'essentiel.

— Karen pensait que si sa femme finissait par découvrir qu'il avait une liaison, elle demanderait le divorce. C'est pourquoi elle a eu l'idée du coup de fil anonyme à Nicole.

— Pourquoi à moi ?

— Parce qu'elle espérait que vous en parleriez à la femme de son amant. D'après elle, vous la connaissiez.

— Ce n'est pas logique…, objecta Nicole.

— Je sais, répondit Penny en hochant la tête. C'est pour cette raison que je préférais vous parler en personne. Si vous avez la moindre idée sur l'identité de l'amant de Karen, dites-le à la police, parce qu'à mon avis le meurtrier, c'est lui. Il avait tout intérêt à ce qu'elle ne parle pas. Vous savez, les médecins, je les connais… Certains sont loin d'être des saints !

Elle s'empara d'un coussin décoratif, et le serra contre elle.

— Karen ne marchait pas toujours très droit, reprit-elle. Mais c'était une gentille fille. Alors, s'il vous plaît, faites-le pour elle. Dites-le à l'inspecteur, si vous connaissez son amant.

— Des femmes de médecins, j'en connais beaucoup, de l'hôpital et d'ailleurs… Mais je ne suis intime avec aucune d'entre elles, répondit Nicole. Et je n'arrive pas à comprendre pourquoi Karen ne vous a pas révélé le nom de son amant, à vous ou à Malcomb, alors qu'apparemment elle ne se gênait pas pour tout vous raconter, à tous les deux.

Dallas pensait la même chose. Ce qui signifiait qu'il était temps de sortir Nicole de cet endroit. Il voyait à son regard qu'elle cherchait désespérément à mettre de l'ordre dans cet imbroglio. Il n'avait pas l'intention de la laisser s'impliquer davantage dans cette histoire sordide.

— Mademoiselle Washington, nous allons vous quitter, maintenant, dit-il. Mais je vous passerai un coup de fil plus tard. J'aurai d'autres questions à vous poser sur Karen Tucker.

— Je vous ai dit tout ce que je savais.

— Parfois, on se souvient de détails après coup. Ecrivez tout ce qui vous revient à l'esprit sur un bloc-notes que vous garderez à portée de main.

— Quel genre de détails voulez-vous que je note ?

— Où elle faisait ses courses, dans quel salon de beauté elle avait ses habitudes, si elle faisait du sport, dans quel club. Quand vous sortiez toutes les deux, les lieux que vous fréquentiez. Sa routine quotidienne, ses passions…

— Et ça pourrait faire avancer l'enquête ?

— On ne sait jamais. Il ne faut rien négliger.

— Dans ce cas, je ferai ce que vous me dites.

Nicole demanda à Penny de lui indiquer les toilettes. Quand elle fut partie, Penny vint s'installer à côté de Dallas sur le canapé.

— Il y a autre chose, inspecteur, dit-elle d'une voix étranglée.

Etrange… Jusqu'à présent, il avait eu la sombre impression qu'elle jouait un rôle. Tout d'un coup, elle avait l'air sincère et surtout très nerveuse. Comme si elle s'apprêtait à lui confier quelque chose qui ne faisait pas partie du texte qu'elle avait préparé.

— Je ne voulais pas en parler devant Nicole.

— Parler de quoi ?

— Karen faisait partie d'un club photo.

— Et il a un nom, ce club ? Vous connaissez le lieu où les membres tiennent leur réunion ?

116

Elle secoua la tête.

— Ce n'est pas un vrai club. Les gens se retrouvent, hommes et femmes, et ils font des choses qui sont, euh, immorales.

— C'est un club de rencontres ?

Elle soupira.

— Pire que ça. Les femmes posent nues en échange d'argent. Beaucoup d'argent. Parfois, elles vont jusqu'à coucher avec les hommes, mais elles ne sont pas obligées. Il faut juste qu'elles acceptent de prendre des positions particulièrement provocantes. C'est à cause de l'argent que Karen a commencé. Elle avait contracté des dettes pour payer les soins médicaux de sa mère, qui avait eu un cancer.

— Je vois. Est-ce que c'est dans ce club que Karen a rencontré son docteur ?

— Non. Elle l'a connu à l'hôpital. Mais c'est après sa première expérience au club qu'ils ont commencé à sortir ensemble.

— Où a-t-elle entendu parler de ce club ?

— On l'a contactée. Je ne sais pas comment. C'est tout ce qu'elle m'a dit.

Penny posa la main sur l'épaule de Dallas.

— S'il vous plaît, ne dites à personne que je vous ai parlé de ce club. Si ça se sait, je risque gros. J'ai un fils. Je ne veux pas d'ennuis.

— Je comprends. En revanche, il faudra que nous nous revoyions. Si vous connaissez un moyen d'en apprendre plus sur ce club — comment on recrute les femmes, où ont lieu les séances —, je vous en serai très reconnaissant.

Elle acquiesça d'un signe de tête.

Nicole les rejoignit et Penny les remercia pour leur visite. A la porte, les deux femmes tombèrent dans les bras l'une de l'autre, comme de vraies amies. Dallas se demanda si elles se sentaient liées par cette histoire de meurtre qui venait bouleverser leur vie quotidienne. Difficile à dire. Surtout pour lui, qui n'était pas un expert en psychologie féminine.

En retournant à la voiture, son esprit était en ébullition, essayant de relier les nouveaux éléments aux anciens. Nicole gardait le silence. Son visage était soucieux. Pourtant, elle aurait dû être rassurée par ce que Penny leur avait appris.

Encore fallait-il croire aux miracles. Dallas, lui, avait quelques réserves.

Car si son intuition se révélait exacte, non seulement Penny Washington savait qui était le père de l'enfant que Karen attendait, mais celui-ci n'était autre que Malcomb Lancaster. Restait à espérer, dans l'intérêt de Nicole, que son intuition était fausse.

Par la fenêtre de la voiture, Nicole regardait le quartier de Penny défiler devant ses yeux. Un jardinier tondant une pelouse, des enfants sur un skate-board, une vieille femme avec un balai à la main, devant son perron, une jeune maman s'efforçant d'asseoir un enfant dans son siège auto. Des gens qui accomplissaient les gestes de la vie quotidienne… Comme elle les enviait !

— Tu ne dis rien ? demanda Dallas, alors qu'il tournait à droite, en direction du nord de la ville, puisqu'elle devait reprendre sa voiture restée à l'institution.

— Je pensais que c'est fou comme, en quelques instants, la vie d'une personne peut être totalement bouleversée. Il y a deux jours, je n'avais encore jamais entendu parler de Karen Tucker. Aujourd'hui, elle est morte, et je me retrouve, sans comprendre comment, impliquée dans sa vie, au point que toutes mes pensées, tous mes gestes ont quelque chose à voir avec elle.

— Ça passera. Tout redeviendra normal.

— Pas pour Karen.

— Non.

— Ni pour Malcomb et moi. Quoique le terme « normal » n'ait jamais vraiment convenu pour décrire notre relation.

— Penny t'a pourtant dit qu'il était honnête.

— Ça, c'est le Malcomb Lancaster qu'elle connaît.

— Mais ce n'est pas l'homme avec qui tu vis ?

— Je ne sais plus.

Dallas se raidit avant de demander :

— Est-ce que c'est lui qui t'a fait ces marques sur le bras ?

— Peut-être. En voulant me réveiller d'un cauchemar.

Seulement, le cauchemar continuait.

Et tout le stress de ces deux derniers jours fit bloc, s'ajoutant à la désillusion d'un mariage qui battait de l'aile, allant même jusqu'à raviver le chagrin causé par la mort de son père. Plus insidieux encore, son passé avec Dallas revenait la narguer dans son désarroi. Les larmes lui montèrent aux yeux, puissantes et douloureuses. Elle tenta de les retenir, mais ce fut impossible. Déjà, elles traçaient leur chemin sur ses joues crispées.

Dallas changea de file et s'engagea à droite dans un parking. Dès qu'il eut arrêté sa voiture, il prit Nicole dans ses bras et la serra contre lui.

— Je... je suis désolée, dit-elle, tentant d'articuler entre deux sanglots.

Il ne répondit pas. Mais il la serra davantage, lui caressant doucement les cheveux, tandis qu'elle pleurait de plus belle.

Dallas savait qu'il négligeait toutes les règles de base. Il les transgressait même, au risque de mettre en péril son enquête, et aussi d'en sortir, une fois de plus, le cœur brisé. Il avait beau se répéter que c'était son instinct protecteur qui motivait ses gestes, qu'il était naturel d'offrir une épaule réconfortante à une amie dans la détresse, il n'arrivait pas à se berner.

Il brûlait de la sentir contre lui depuis le moment où il l'avait vue la tasse aux lèvres, sur le campus. En pensée, il l'avait déjà prise plusieurs fois dans ses bras, il avait respiré ses cheveux soyeux, et avait même senti la pression enivrante qu'elle exercerait de tout son corps contre lui. Des visions qui n'étaient pas à la hauteur de ce qui se passait dans la réalité. Elle était bel et bien blottie contre lui. Mais elle pleurait à chaudes larmes, et il était là pour la consoler. Qu'il ait le corps en éveil, prêt à bondir dans une action d'un autre registre ne devait pas être pris en compte.

Cette passion aurait dû disparaître d'elle-même dix ans plus tôt. Et le désir aurait dû s'éteindre avec le temps. Nicole et lui vivaient toujours dans des mondes situés à des années-lumière l'un de l'autre. Et pourtant. Il avait terriblement envie d'elle, comme la nuit où ils étaient montés ensemble dans l'annexe.

Le rythme des sanglots s'était calmé. Elle s'écarta de lui, le laissant en proie à une pesante sensation de vide.

— Je suis désolée, je n'avais pourtant pas l'intention de craquer.

— Tant que c'est une belle femme qui mouille ma chemise, je ne me plains pas ! plaisanta-t-il.

Il ouvrit la boîte à gants et en sortit un paquet de mouchoirs en papier. Elle en prit un, s'essuya les yeux et se moucha. Son visage rougi, ses yeux brillant de larmes contenues, sa respiration encore instable, jamais elle ne lui était apparue aussi vulnérable. Heureusement que Malcomb Lancaster ne se trouvait pas à proximité. Car Dallas aurait eu une sacrée envie de lui envoyer son poing dans la figure.

Tout doux, mon vieux. Ce n'est pas parce que Nicole pleure dans tes bras que tu dois t'autoproclamer son protecteur et te mêler de sa vie personnelle.

L'avertissement lui traversa l'esprit, puis disparut.

— Nicole, tu peux te confier à moi, dit-il. J'ai de l'entraînement avec mon métier.

— Tu ferais bien de revenir sur ta proposition.

— Hors de question.

Elle tourna la tête vers la fenêtre de sa portière. A quelques mètres de la voiture, il y avait une petite rivière où passaient des canards.

— On peut faire quelques pas dehors ?

— Bien sûr.

Il sortit rapidement de sa voiture et se précipita pour lui ouvrir la portière, mais il n'eut pas le temps de contourner le véhicule qu'elle était déjà à l'extérieur. Ils marchèrent cinq minutes sans parler, profitant du soleil qui chauffait leur dos, attentifs au craquement des feuilles sous leur pas, et au clapotis de l'eau contre la rive.

Deux étrangers, aux destins liés à jamais, grâce à une nuit d'amour intense, neuf ans plus tôt. Unis et séparés à la fois. Comme en cet instant. Unis par une sordide histoire de meurtre. Séparés par une barrière invisible, difficilement identifiable.

Nicole s'arrêta face à l'eau. Dallas admirait son profil.

— Tu as sans doute compris que Malcomb et moi traversons une crise qui n'est pas seulement liée aux problèmes soulevés par l'enquête…

121

— J'évite les conclusions trop hâtives.

— Je ne sais même pas pourquoi ça va mal dans mon mariage, et si c'est sa faute ou la mienne.

Certainement pas la tienne.

Et il n'avait pas besoin de connaître les détails de leur histoire pour en être convaincu. Mais que pouvait-il bien lui dire ?

— Peut-être que ce n'est la faute de personne, finit-il par déclarer, en ayant bien conscience de proférer une énorme banalité.

— Si seulement...

— Quand vos problèmes ont-ils commencé ?

— Eh bien, le jour de notre mariage... C'est la première fois que je l'ai vu piquer une crise de furie.

— De furie ?

— Oui, chaque fois, c'est plus que la colère. Un éclat de rage intense. Il a le visage convulsé, les veines du cou gonflées. Et ses yeux... J'ai du mal à les décrire, mais son regard est terrifiant.

— Il démarre d'un coup ou c'est une montée progressive ?

— D'un coup. Pour un rien. Et deux minutes plus tard, c'est passé. On dirait qu'il s'oblige à retrouver la complète maîtrise de ses nerfs.

— Avant le mariage, ce genre de crise ne s'était jamais produit ?

Elle haussa les épaules.

— Non. Enfin, ce n'était pas dirigé contre moi. Au volant, une fois, il s'en est pris à un autre conducteur qui avait changé de file au dernier moment. Et puis, aussi, un soir au restaurant... Il s'est acharné contre le serveur qui avait renversé de la sauce tomate sur son costume préféré.

122

— Mais ces incidents ne t'ont pas alertée plus que ça ?

— J'étais inquiète. Mais Malcomb se reprenait très rapidement et semblait réellement désolé de s'être emporté. Et puis, à vrai dire, les cartons d'invitation avaient été envoyés, le voyage de noces réservé, et la réception payée. Ces incidents semblaient de bien peu d'importance pour annuler un mariage.

— Si on veut. Sans doute avait-il aussi les moyens de se faire pardonner ?

— Malcomb peut être particulièrement doux et attentionné. Il ne cessait de me répéter qu'il avait trouvé en moi un trésor, qu'il voulait garder et chérir toute sa vie. Maintenant, il est différent. Je le reconnais à peine, par rapport à l'époque où il me faisait la cour.

Elle fit quelques pas sur le côté.

— Je ne devrais pas me confier à toi.

— Pourquoi ?

— Parce que tu es l'inspecteur chargé de l'affaire Karen Tucker, et que Malcomb est un suspect.

— Je vais avoir besoin de l'interroger, mais je ne vois pas en quoi ça nous empêcherait de parler en toute sincérité. Nous étions amis avant que je n'entre dans la police, et que tu ne deviennes madame Lancaster.

— Nous n'avons jamais été amis, Dallas. J'étais jeune et je suis tombée follement amoureuse de toi à la seconde où je t'ai rencontré. Je me suis jetée dans tes bras et tu as profité de la situation.

— Nous n'avons pas la même version de l'histoire, alors.

— Aucune importance. Ce qui compte aujourd'hui, c'est que tu es Dallas Mitchell, l'inspecteur.

— Ce n'était pas sur l'épaule de l'inspecteur que tu as trouvé refuge, tout à l'heure, quand tu pleurais.

— Bonne repartie, dit-elle en relevant des yeux assombris vers lui. Est-ce que tu crois que Malcomb a tué Karen ?

— Et toi ?

— Je ne sais plus quoi penser. Et puis, comment croire un homme qui vous a déjà menti plusieurs fois ?

Elle eut un frisson, et Dallas dut se retenir de la soulever dans ses bras, et de l'entraîner avec lui dans un endroit désert où il lui ferait l'amour jusqu'à ce qu'elle en oublie jusqu'à l'existence de Malcomb Lancaster.

— Je suis quasi certain que Malcomb n'a pas tué Karen, dit Dallas.

— A cause de ce que Penny a dit ?

— Non.

— Tant mieux, parce que j'ai réfléchi un peu à cette conversation, et avec le recul je la trouve trop bien ficelée pour être honnête. On dirait que le but, c'était de m'expliquer pourquoi Karen avait mon numéro sur elle. A mon avis, c'est Malcomb qui a demandé à Penny de m'appeler.

— Oublie ta vocation de prof. Deviens flic. Tu es douée.

— Je retiens l'idée. Mais dis-moi, si tu es d'accord avec moi, qu'est-ce qui te fait croire que Malcomb n'est pas coupable ?

— Certains éléments dont je ne peux pas te parler.

Il lui effleura le bras là où, sous le cardigan turquoise, se cachaient les marques de doigts.

— Ce n'est pas parce qu'il n'est pas le meurtrier qu'il est inoffensif pour toi. T'a-t-il déjà blessée ?

— Physiquement, non.

— Alors il t'a fait peur. Cela s'appelle du harcèlement moral. Si en plus tu n'exclus pas la possibilité qu'il soit l'assassin, je dirais que vous avez tous les deux pas mal de problèmes à régler.

— C'est le moins qu'on puisse dire.

Elle jeta un œil en arrière sur la voiture.

— Il faut que je rentre chez moi, Dallas. Et surtout, ne me pose plus de questions. J'en ai déjà trop dit.

— Plus de questions.

En route vers l'institution, ils n'échangèrent guère que quelques mots sur la circulation et sur Ronnie. Les pensées de Dallas le conduisirent à se remémorer la dernière scène macabre laissée par le tueur, ce malade qui frapperait encore et encore tant qu'il ne serait pas sous les verrous. La tâche promettait d'être rude.

Comme si les complications de l'affaire ne suffisaient pas à lui occuper l'esprit, il se sentait attiré par la femme d'un autre et avait à lutter contre une frénésie d'émotions. Pour arranger l'ensemble, il devait interroger l'époux, qu'il haïssait déjà pour le mal qu'il avait fait à Nicole et pour toutes les nuits qu'il avait passées avec elle.

Mais le plus alarmant, dans toutes ces complications, c'était le retour de Nicole dans sa vie. Car tout indiquait qu'elle n'avait jamais quitté son cœur.

Assis à son bureau d'ébène dans un confortable fauteuil de cuir, Malcomb admirait les trophées de ses succès. Diplômes encadrés, certificats de réussite, une étagère remplie de journaux médicaux dans lesquels il avait écrit de nombreux articles. C'était lui, le spécialiste en matière de traitement anti-rejet des transplantés.

A l'extérieur de son bureau, les démons qui parfois le hantaient pouvaient prendre possession de son corps et de son esprit. Mais, entre ces quatre murs, il était le Dr Lancaster. Un dieu, en quelque sorte.

Et c'était dans ce sanctuaire qu'il recevrait l'inspecteur — qui lui gâchait la vie depuis quelque temps. Il toiserait cet homme, répondrait à ses questions avec condescendance. N'était-il pas qu'un sous-fifre, sans grande éducation ? Les médecins, eux, appartenaient à une classe à part. Une classe supérieure. Leur blouse blanche en témoignait.

Les flics ? Des hommes primaires, creusant partout. Dans le sol à la recherche de sang et d'os. Dans le passé des victimes pour disséquer le moindre détail de leur vie souvent insignifiante. Creusant, fouinant avec l'espoir de tomber sur un indice qui leur permettrait d'avoir l'air intelligent. Dallas Mitchell faisait partie de ces hommes-là. Même si Nicole le tenait en grande estime.

L'Interphone sur son bureau se mit à vibrer.

— Oui, Peggy.

— Dallas Mitchell est là, monsieur.

Malcomb sourit et caressa l'étoffe de sa blouse blanche.

— Est-ce que je lui dis d'entrer ?

— S'il vous plaît, oui. Je suis prêt à le recevoir.

9.

Dallas inspecta du regard le Dr Malcomb Lancaster.
C'était le point de départ de tout interrogatoire. Etudier les
yeux du suspect ou du témoin, la position de ses épaules,
les mouvements de ses mains. Pour Dallas, il s'agissait
d'une « lecture » aussi efficace que celle d'un dossier de
dix pages sur l'individu en question.

Dans le cas présent, le docteur semblait totalement maître
de lui-même, et surtout indifférent à l'idée que la police
vienne mettre le nez dans sa vie personnelle. Une réaction
peu courante, à vrai dire. La plupart du temps, même les
innocents montraient des signes de nervosité lorsqu'ils
étaient interrogés par un inspecteur de la criminelle.

Dallas était seul, pour cette première visite. Corky aurait
dû l'accompagner, mais une urgence sur une autre affaire
dont ils étaient chargés avait bouleversé leur emploi du
temps, et Dallas avait tenu à ne pas retarder son rendez-
vous avec Malcomb, quitte à ce que Corky et lui se séparent
pour la matinée.

Les salutations entre les deux hommes furent cordiales
mais brèves. Le nom de Karen n'avait pas été mentionné
au téléphone, quand ils avaient fixé le rendez-vous, mais la
jeune femme était omniprésente dans les pensées de Dallas,
et il supposait qu'il en allait de même pour Malcomb. Il

fallait encore ajouter les trois autres meurtres commis dans des circonstances similaires. Le terrain promettait d'être glissant. Et avec, en plus, la dimension personnelle, le terrain devenait carrément miné.

Garder le cap du côté strictement professionnel constituait un rude défi. Surtout quand l'envie démangeait Dallas de sauter par-dessus le bureau pour retomber sur Malcomb et lui laisser à la gorge les mêmes marques que celles qui coloraient le bras de Nicole.

Mais il devait naturellement se contrôler. La moindre erreur, et le chirurgien renommé se plaindrait au chef de la police, et alors l'affaire lui serait retirée sur-le-champ, avant qu'il ait pu commencer à s'expliquer.

Dallas prit donc sur lui, et esquissa un sourire.

— Je sais que vous êtes très occupé, docteur. Le mieux serait d'entrer tout de suite dans le vif du sujet.

Malcomb acquiesça d'un signe de tête.

— Asseyez-vous, inspecteur.

Dallas prit place sur la chaise prévue pour les patients, tandis que Malcomb s'installait dans son confortable fauteuil de bureau en cuir.

— Dans le vif de *votre* sujet, inspecteur. Moi, ce qui m'intéresse, ce sont mes patients, et je veille sur leur cœur pour qu'ils restent en vie.

— Et moi, ce qui me préoccupe, ce sont les jeunes femmes de cette ville, et je veux arrêter un tueur en série pour qu'elles restent en vie. Vous voyez, nos métiers ne sont pas si différents.

— Pour vous, peut-être, dit Malcomb en changeant de position dans son fauteuil. J'imagine que vous attendez de moi des informations susceptibles de vous aider dans l'affaire Karen Tucker. Malheureusement, je ne peux rien vous dire, sinon qu'elle était très bonne infirmière.

— Mais vous étiez amis, tous les deux, non ?

Il avait espéré que sa question provoquerait une réaction chez Malcomb. Un mouvement nerveux de la tête. Un changement dans le regard. Mais rien. Pas même un cillement.

— Amis, non. Elle a travaillé dans mon service et je lui ai confié beaucoup de mes patients.

— D'après ses relevés téléphoniques, il apparaît que vous avez eu quatorze conversations très longues ces trois dernières semaines, et parfois, tard dans la nuit.

— Karen passait par une période plutôt difficile. Elle voulait que je la conseille. Pourquoi m'avait-elle choisi comme confident ? Je ne sais pas, sinon qu'elle semblait être à l'aise avec moi.

— Vous avez beaucoup d'infirmières qui vous téléphonent chez vous ?

— Bien sûr que non. Karen était dans la détresse. Elle avait besoin d'une oreille amie.

— Mais vous m'avez dit que vous n'étiez pas amis.

— Ah ! Vous coupez les cheveux en quatre, inspecteur. Je n'aurais, certes, jamais passé de temps avec elle en dehors du travail, mais je l'ai aidée comme je l'aurais fait avec n'importe quelle autre personne de mon service.

— Vous avez regretté son départ de l'hôpital, elle qui travaillait si bien ?

— Pour tout vous dire, c'est moi qui lui ai conseillé de changer d'hôpital.

— Pour quelles raisons ?

— Des raisons internes à cet hôpital.

— Ce n'est pas Karen qui vous en voudra, si vous m'en parlez.

— Mais Karen n'est pas la seule concernée dans cette histoire.

— Alors, c'est d'autant plus important.

— Karen avait une liaison avec l'un des médecins de l'hôpital. Il voulait mettre fin à leur relation, mais elle s'accrochait.

— Vous savez qui est ce médecin ?

— Non.

— Vous le lui aviez demandé ?

— Au contraire. Je lui ai demandé de ne pas me révéler son nom. Je ne voulais pas faire entrer dans mon jugement sur l'homme des critères autres que professionnels. Il est important que nous nous respections entre collègues. Pour le plus grand bien des patients.

— Mais vous êtes allé voir Penny Washington, l'autre jour, et vous lui avez demandé si elle savait qui était l'amant de Karen.

— Oui, c'était après le meurtre de Karen. Je voulais que Penny, si elle connaissait l'individu, en parle à la police.

— Avec quels autres médecins Karen s'entendait-elle bien ?

— Elle était en bons termes avec tout le monde. Le Dr Castle l'appelait « Fée Clochette », car on avait l'impression qu'elle volait d'un patient à l'autre, toujours efficace et souriante, illuminant la chambre de sa présence.

— Parlez-moi du Dr Castle.

Malcomb secoua la tête.

— Vous n'y êtes pas. Jim Castle n'a pas le profil du mari qui trompe sa femme. Il est fou amoureux de sa femme. D'ailleurs, elle est enceinte. C'est leur premier enfant.

— Est-ce que Karen vous a dit qu'elle était enceinte ?

— Pas possible !

— Enceinte de quatre mois, d'après le rapport d'autopsie.

130

— Elle ne m'en avait rien dit. Maintenant, je comprends pourquoi elle ne voulait pas rompre.

— Oui, c'est plus dur de se retrouver seule dans ces conditions, remarqua Dallas pour aller dans son sens. Au cours de vos conversations téléphoniques, a-t-elle jamais dit qu'elle sentait sa vie menacée ?

— Bien sûr que non ! Sans quoi, je lui aurais dit d'en parler à la police. Vous savez, j'ai encore du mal à croire qu'elle a été assassinée.

— Vous l'avez déjà rencontrée, en dehors du travail ?

— Jamais. Et si vous pensez ce que je crois, vous vous trompez royalement. Je prends les vœux que j'ai prononcés le jour de mon mariage très au sérieux.

— Ce n'était pas ce à quoi je pensais. Mais comme vous prenez l'initiative de nier toute relation intime avec la victime, sans doute accepterez-vous de vous soumettre au test ADN ?

— Pour vous prouver que je ne suis pas le père de l'enfant que portait Karen ?

— Exactement.

— Et si je refuse, j'imagine que vous courrez chez le procureur, qui vous donnera son accord pour rendre le test obligatoire ?

— Nous n'irons peut-être pas aussi loin.

Dallas s'attendait à ce que Malcomb proteste vivement contre le procédé et invoque ses droits de citoyen. Mais là encore, rien : une quasi-absence de réaction. Son interlocuteur se contenta de hausser les épaules.

— Je ne vais pas vous compliquer la tâche, inspecteur Mitchell. Je passerai au laboratoire de l'hôpital dans la journée, pour qu'ils effectuent un prélèvement de salive. Ça devrait suffire à vous prouver que je n'ai rien à voir avec la grossesse malheureuse de Karen.

— Merci, ça m'aidera.

Malcomb se leva, tira sur sa blouse blanche, et se passa une main dans les cheveux.

— Et après, quand vous saurez que le test est négatif, que ferez-vous ? Irez-vous demander à tous les médecins de l'hôpital un échantillon d'ADN ?

— Pas à tous. Seulement à ceux qui étaient en contact avec Karen.

Dallas se leva lui aussi et fut satisfait de voir qu'il dominait Malcomb d'une demi-tête. Il n'aurait pas aimé avoir à lever la tête.

Malcomb s'appuya sur son bureau, se tenant avec autant de nonchalance que s'ils avaient discuté de la pluie et du beau temps.

— J'espère que vous retrouverez le meurtrier, inspecteur. Mais il est inutile de vous attarder dans cet hôpital. Le personnel n'a certainement rien à voir avec un assassinat aussi cruel.

Aussi cruel. La précision du propos le fit tiquer. Aucun détail n'avait été révélé aux médias.

— Vous pensez que la mort de Karen est particulièrement cruelle ?

— Evidemment ! Un meurtrier a mis fin aux jours de Karen, alors qu'elle était dans la fleur de l'âge ! Même sans connaître l'arme du crime, c'en est assez pour parler de cruauté.

Bien rattrapé. Mais il y avait quand même eu lapsus… L'Interphone de Malcomb sonna à ce moment. Il prit l'appel de sa secrétaire, qui lui annonça l'arrivée de son premier patient. Une manière habile d'inviter Dallas à le quitter. De toute façon, Malcomb n'en dirait pas plus.

Une matinée de questions, et la seule chose que Dallas avait gagnée, c'était encore plus de questions. Et la quasi-certitude que Malcomb Lancaster lui cachait quelque chose. Mais, à moins que le docteur n'ait l'idée de trafiquer son échantillon d'ADN, il n'était pas le père de l'enfant de Karen.

— Inspecteur…

Dallas avait la main sur la poignée de la porte. Il se retourna vers Malcomb.

— Je veux bien être coopératif pour le test ADN, dit-il d'une voix durcie. Mais j'attends quelque chose en retour.

— Quoi ?

— Ne voyez plus ma femme.

— Dans le cadre de mon enquête, vous voulez dire ?

— Dans tous les domaines.

— Désolé, docteur. Je ne cède pas au chantage.

La colère illumina d'un coup le regard sombre de Malcomb, qui se frottait nerveusement les mains. Quelle transformation ! Une seconde avant, cet homme avait l'air calme et serein. A présent, les veines de son cou apparaissaient, et il respirait comme un taureau sur le point de foncer dans l'arène.

Dallas n'avait pas eu à gratter beaucoup pour obtenir un aperçu des crises de rage dont Nicole avait parlé. Une colère immédiate et absolue. Il se souvenait avoir été témoin de crises semblables chez des prisonniers placés en cellule d'isolement.

Mais Malcomb, lui, n'était pas un dangereux criminel, tenu à l'écart de ses congénères. C'était l'homme qui dormait tous les soirs auprès de Nicole. Cette pensée lui glaça les sangs.

*
* *

Après avoir fermé la porte derrière Dallas, Malcomb retourna à son bureau et composa le numéro du poste de Jim Castle. Il avait réussi à maîtriser extérieurement sa colère, mais elle continuait à hurler en lui, comme un tourbillon qui l'empêchait de réfléchir. Ces crises, il les détestait. Et ce qu'il y avait de pire, dans celle-ci, c'est qu'elle avait été provoquée par ce policier minable.

Il essaya de calmer sa respiration en la calquant sur la cadence des sonneries. Recouvrer le contrôle de soi. La sérénité de façade. Rien d'autre n'avait d'importance. Une colère maîtrisée, enfouie avec soin, pouvait passer totalement inaperçue aux yeux des autres.

Malcomb parla brièvement avec la secrétaire de Jim, puis attendit que son collègue prenne la ligne. Il fallait avertir Jim. Le préparer à l'idée que Dallas allait venir l'interroger. Même si le résultat était connu d'avance. Dallas ferait macérer Jim, puis le laisserait mijoter un temps avant d'accélérer la cuisson. Et là, Jim ne pourrait garder plus longtemps pour lui sa sordide histoire de coucherie avec cette infirmière débauchée.

Malcomb devait seulement s'assurer que Jim ne serait pas assez bête pour parler du club.

Une semaine plus tard, Dallas et Corky étaient assis dans le bureau du chef de la police, attendant en silence que ce dernier ait parcouru les rapports qu'ils lui avaient apportés. Le commissaire Bailey Cooper, la cinquantaine avancée, n'était plus un homme d'action depuis longtemps, comme en témoignait son avantageuse bedaine. Le chef avait la réputation d'être sévère, en particulier avec les inspecteurs qui commettaient des erreurs, sur lesquels il tombait volontiers à bras raccourci.

Mais Cooper connaissait son travail, et Dallas respectait sa façon de penser. Quand le chef avait décidé d'exprimer une opinion, il n'y allait pas par quatre chemins. Dallas sentait d'ailleurs la pression monter. Allait-il y avoir une explosion verbale ? Pourtant, Cooper les avait fait appeler afin de rencontrer la profileuse qui devait les rejoindre d'une minute à l'autre.

Cooper enleva ses lunettes et les posa au-dessus d'une pile de dossiers qui menaçait de s'écrouler sur le bureau.

— On m'a dit que vous vous faisiez des ennemis à l'hôpital…

— Qui s'est plaint ? demanda Corky. Jim Castle ?

— Entre autres.

— Quels autres ?

— Pour commencer, le maire. Il n'aime pas qu'on aille taquiner ses principaux donateurs. En deuxième position, le gouverneur. Il se trouve que son frère est chirurgien orthopédique au Mercy General. Et avec ça, Nicole Dalton est sa filleule.

— Ces hommes politiques ! s'exclama Corky. Ils pensent être au-dessus des lois. Pas étonnant que, parmi eux, on compte tant d'escrocs !

— Oui, mais rarement des meurtriers.

— Pas si sûr, intervint Dallas.

Cooper, qui transpirait à grosses gouttes, s'essuya le front du revers de la main.

— Ecoutez, les gars, je sais qu'une liaison entre une infirmière assassinée et un médecin marié, ça intéresse toujours. N'empêche ! Ici, on a affaire à un tueur en série qui a déjà refroidi une strip-teaseuse, une maîtresse d'école, une femme jockey et une infirmière. Alors quel rapport avec l'hôpital Mercy General ?

135

— Il n'y en a pas, reconnut Dallas. Mais on n'a aucune piste sur les trois affaires précédentes, et on n'a pas trouvé de lien entre les victimes.

— Pas *encore*, déclara Cooper, assez lentement pour que la nuance fasse son effet. Il vous faut retourner sur le terrain et découvrir le point commun entre les victimes. Si vous le trouvez et qu'il vous ramène au Mercy General, alors vous aurez le droit d'aller y fouiner partout, de vous y infiltrer et de remuer le linge sale. Mais en attendant cette révélation, interdiction de harceler le personnel. Surtout les médecins.

— Vous voulez qu'on cesse d'embêter Jim Castle et Malcomb Lancaster ?

— C'est ce que j'aime chez toi, Dallas. Un petit coup sur la tête suffit à te remettre sur le droit chemin. Vous n'aurez aucun soutien pour obtenir du procureur un mandat obligeant Jim Castle à se soumettre au test ADN. Vous n'avez rien de concret sur lui.

— Je peux vous dire…

Le chef leva la main en l'air pour couper court à l'argument de Dallas. La profileuse venait d'apparaître dans l'embrasure de la porte.

— Je connais la puissance de tes intuitions, mon garçon. Transforme-les en preuves et j'y jetterai un coup d'œil.

La toute première impression que Dallas avait eue de Darlene Andrews, quand il l'avait rencontrée trois semaines plus tôt, c'est qu'elle lui semblait trop jeune et trop jolie pour avoir une idée de l'esprit criminel qui bouillonnait dans la tête de Freddie-les-Mains-Propres. Après quelques heures passées à parcourir avec elle les détails des crimes, il était revenu sur son opinion hâtive. Darlene avait beau être une blonde sexy, elle n'en connaissait pas moins son

136

travail. Aujourd'hui, il verrait si, en plus du savoir-faire, elle avait du talent.

Elle commença par rappeler les données essentielles des meurtres, ainsi que la manière d'opérer du tueur. Puis elle aborda le sujet attendu par Dallas et Corky : le profil psychologique du tueur.

— Voici mes conclusions, dit-elle en se référant aux notes étalées devant elle. Toutes fondées sur des éléments concrets, plus ou moins explicites. Je crois que notre meurtrier est un homme blanc, la trentaine, peut-être même à l'approche de la quarantaine. Physiquement, c'est un bel homme, qui sait s'y prendre avec les femmes, habile au point de les convaincre de le suivre en pleine nuit dans un endroit désert. Comme il utilise des drogues pour maîtriser ses victimes, je suppose qu'il n'a pas un physique d'athlète.

— Mais suffisamment pour porter leur corps après les avoir tuées, remarqua Corky.

— C'est vrai. Nous savons aussi qu'il est obsédé par la propreté. Ce qui vient sans doute de son enfance. Une mère obsédée par le nettoyage. Ou, au contraire, défaillante sur ce point. Qui sait ? Il a très bien pu être élevé dans une maison mal tenue, au point qu'il avait honte d'avoir des visiteurs chez lui. D'où son comportement de solitaire.

— Est-ce que ça signifie qu'il n'a pas d'amis ? demanda Dallas.

— Il n'a pas d'ami intime, je dirais. Mais cela ne veut pas dire qu'il ne fait pas partie d'un cercle d'amis. Des amis de travail, par exemple. En tout cas, il ressent une vive colère, en particulier contre les femmes. Ce qui explique les sévices. Sa colère provient d'une relation mal vécue dans son passé. Soit avec une petite amie qui l'a trahi ou ridiculisé. Soit avec sa propre mère, qui aurait pu le maltraiter. Je suis presque sûre qu'il n'est pas marié.

Dallas nota quelques remarques sur son calepin, puis lâcha son stylo.

— D'après vous, est-ce qu'il profite de ses fonctions professionnelles pour repérer ses victimes ?

— C'est très probable, oui. Il est très malin et sait se contrôler. Il a sûrement un bon niveau d'éducation.

— Est-ce qu'il pourrait être médecin ? intervint Corky.

— Oui, même chirurgien. Ses incisions sont extrêmement précises. De toute façon, sa manière de brouiller les pistes avec les échantillons d'ADN nous montre qu'il a des connaissances en biologie, et qu'il a les moyens de se constituer une banque de données personnelle.

— Vous avez dit qu'il savait se contrôler. Mais est-ce qu'il y a une chose susceptible de le faire dérailler ? Et comment se manifestent ses accès de rage ?

— Très soudainement, sans signe avant-coureur. Des éclats aussi intenses que brefs, déclenchés lorsque sa volonté est mise en échec. Il regagne vite la maîtrise de lui-même. Pour lui, c'est primordial.

— Est-ce que vous pensez que les passages au meurtre sont suscités par de violents éclats de colère ? demanda le chef. A-t-il perdu la maîtrise de lui-même quand il tue ?

Dallas secoua la tête en signe de dénégation.

— Les meurtres sont trop bien préparés, répondit-il à la place de la profileuse. Enfin, sauf celui de Karen Tucker, ajouta-t-il en se tournant vers Darlene. Que faites-vous de ce dernier meurtre ? Comment le classer dans cette série ?

— Eh bien, si nous avons bien affaire au même meurtrier, alors je dirais qu'il y a eu un déclin vertigineux dans son état psychique et émotionnel. A moins qu'il n'ait été poussé à ce meurtre par une obligation extérieure, sans rapport avec ses pulsions habituelles.

138

— Cette dernière hypothèse me plaît, dit Dallas. Avez-vous une idée de ce qui transforme un homme à la carrière professionnelle prometteuse en un tueur en série ?

— Il y a forcément un élément déclencheur. Un événement qui aurait fait resurgir une colère enfouie au fond de lui. Il a monté les échelons professionnels, atteint une certaine notoriété, mais il n'en est pas satisfait. Il lui en faut plus. Cet homme a sans doute déjà commis un meurtre dans le passé. Et aujourd'hui, il ne fait que le revivre, encore et encore, en améliorant chaque fois le mode opératoire. Il recherche ainsi l'invincibilité.

— Quelles explications avez-vous, pour les poses vulgaires dans lesquelles il installe les corps de ses victimes ? demanda Corky.

— C'est un moyen de déshumaniser ses victimes, et probablement de quitter la scène du crime en emportant dans ses pensées une image forte de son méfait. Une icône à laquelle il peut se raccrocher intérieurement, et qui lui procure de la satisfaction. Les tueurs en série sont accros aux souvenirs de leurs exploits.

— Peut-être les prend-il même en photo, suggéra Dallas. Histoire d'agrémenter sa collection de photos porno.

— Dans ce cas, intervint Cooper, il faut alerter tous les développeurs de photos de la ville.

— Inutile de prendre cette peine, observa Darlene. Notre tueur est trop malin pour se faire prendre comme ça. Il se sera servi d'un Polaroïd.

Dallas se pencha en avant, harcelé par des idées perturbatrices qui circulaient dans son esprit.

— A moins qu'il ne développe ses tirages lui-même.

— Possible, lança Darlene qui avait commencé à regrouper ses papiers, marquant ainsi la fin de sa présentation. Et souvenez-vous bien que le profilage est un outil précieux, mais pas forcément précis. Parfois même, on se trompe.

— Certes, déclara Cooper, mais j'ai eu votre pourcentage personnel de réussite, et il est très impressionnant.

— Je fais de mon mieux.

Tandis que Cooper prodiguait flatteries et remerciements, Dallas s'absorba dans ses pensées. Le profil ébauché le mettait mal à l'aise. Malgré quelques réserves, il lui faisait penser à Malcomb Lancaster.

Bon sang ! Etait-ce seulement plausible ? Que la femme de son cœur soit l'épouse d'un déséquilibré, tueur en série ?

— Qu'en penses-tu, Dallas ?

Il leva la tête. A voir tous ces yeux fixés sur lui, on attendait de sa part une réponse.

— Pardon, je… je ne suivais pas ce que vous disiez.

— Darlene vient de dire que, d'après elle, le tueur n'était pas lié sentimentalement à Karen Tucker. Qu'en dis-tu ?

— Pour ma part, ça reste une possibilité.

— Sur quoi tu te fondes ? continua Cooper. Un fait ou une intuition ?

— Les deux. On ne sait rien de sa façon de choisir ses victimes. Il se peut très bien que, chaque fois, un lien affectif ou une sorte d'attirance ait motivé le meurtrier.

— En effet, c'est possible, dit Darlene. Et ce n'est pas la première fois que je m'incline devant l'instinct affûté d'un bon enquêteur.

— Admettons que cet homme soit quand même marié, commença Dallas, obsédé par le flot d'hypothèses terrifiantes qui s'agitaient dans son esprit. Qu'est-ce que sa femme remarquerait en premier ?

— Son besoin de propreté. Et sa grande maîtrise de lui-même.

— Et des accès de colère ?

140

— Evidemment.

Dallas resta à sa place, mais la réunion était finie pour lui. L'angoisse lui tenaillait les méninges, comme ces horribles photos de cadavres qui revenaient sans cesse dans son esprit, toujours aussi brutales, sordides et sanglantes. Les visages des mortes virevoltaient devant lui, jusqu'à ce que deux yeux captent son attention et qu'il ne voie plus qu'eux.

Les yeux qu'il avait vus en rêve des milliers de fois... Ou en rêve éveillé, pendant ses insomnies.

Les yeux de Nicole.

— Ça va, vieux ? demanda Corky. Parce que, dis donc, t'es blanc comme un linge !

— Mouais, tout va bien... J'ai juste une chose très urgente à faire.

Il se leva et sortit du bureau, sans donner d'autre explication. Il ne passa pas à son bureau, mais alla tout droit à sa voiture. Cette fois, il ne fallait pas prendre la peine de s'annoncer.

Il allait voir Nicole pour lui raconter l'impensable. L'homme qu'elle avait juré d'aimer toute sa vie était peut-être le tueur en série qui terrorisait toute la région. Il fallait absolument qu'elle quitte le domicile conjugal.

Sur-le-champ.

Avant de devenir la prochaine victime d'un fou qui voulait la garder toute à lui.

10.

Autour d'elle, sur le tapis du salon, s'étalaient de vieilles photos de famille trouvées par hasard dans un carton du grenier. Nicole les avait regardées une à une, se replongeant dans une époque d'insouciance et de bonheur, bien éloignée de sa vie d'épouse et des difficultés qui faisaient de chaque minute un calvaire.

Dehors, le soleil frappait de tous ses feux, transformant le bleu de la piscine en un blanc scintillant. Aussi accrocheur que le blanc de sa tunique de danse, pour son premier ballet de fin d'année. Elle devait avoir six ou sept ans. Sa mère, enceinte de Ronnie, avait un ventre si volumineux que lorsqu'elle était assise elle ne pouvait plus rien mettre sur ses genoux. Nicole se souvint du tulle qui tombait en cascade féerique au pied du rocking-chair, alors que sa mère, en reine parée d'une traîne, cousait l'habillage du lit de bébé.

Avec le recul, Nicole savait qu'à cette époque-là sa mère avait commencé son long combat contre la maladie. Mais rien n'y paraissait. Dans la maison il n'y avait que joie de vivre, amour et fous rires. Un an plus tard, Nicole se tenait devant sa tombe, serrant de toutes ses forces la main de son père. Des larmes coulaient de ses yeux. Il avait déposé un bouquet de roses rouges sur la plaque gravée en lettres d'or.

Nicole, elle, n'avait pas pleuré. Ni ce jour-là, ni le suivant. Ce ne fut qu'un mois plus tard qu'elle prit conscience de la perte… Quand, révcillée en pleine nuit par un mal de ventre, elle avait appelé sa mère. En vain.

L'album de photos lui tomba des mains. Elle ferma les yeux, et se retrouva un instant au temps des tutus blancs et des fous rires. Mais quand elle les rouvrit, la sensation de chaleur disparut et elle fut prise de frissons.

Une semaine s'était écoulée depuis cette étrange journée avec Dallas. Une semaine aussi depuis l'annonce du meurtre de Karen Tucker, cet électrochoc qui avait causé bien des remous dans son quotidien déjà en ébullition. Une semaine d'introspection, pour en arriver à accepter l'inévitable vérité : elle était mariée à un inconnu, qui se jouait manifestement d'elle. Bien sûr, cela aurait pu arriver à n'importe qui. Mais elle ne se consolait pas d'avoir été aussi naïve.

L'entretien avec son avocat n'avait fait que la déprimer un peu plus. Pièges juridiques, labyrinthes procéduraux, impasses légales… elle devrait redoubler de prudence ou de vigilance pour s'en tirer à bon compte. Si Malcomb et elle avaient signé chez le notaire un contrat de mariage, la procédure de divorce aurait été moins compliquée, lui avait dit son avocat. Mais bien sûr, avant le mariage, l'idée de prendre cette précaution ne lui avait pas effleuré l'esprit. Leur engagement solennel d'amour et de partage était le seul contrat, d'ordre moral, qui comptait à ses yeux.

Elle était convaincue de la faillite inéluctable de son mariage. Trop de mensonges et de faux-fuyants avaient miné leur relation. Mais elle voulait être débarrassée de toute hésitation au moment où elle demanderait le divorce. C'était pourquoi elle avait pris rendez-vous avec un conseiller conjugal. Et si, après ce premier entretien, l'espoir renaissait, elle y retournerait avec Malcomb. Mais elle n'était pas dupe, et cette chance restait plus que mince.

Pour compliquer les choses, le fantôme de Dallas avait refait surface dans un coin sombre de sa conscience. La nuit, quand elle cherchait désespérément à trouver le sommeil, allongée auprès de Malcomb, les attirances du passé se réveillaient en elle, brutales et persistantes, au point qu'elle avait fini à plusieurs occasions par se relever, prendre un roman et tourner les pages pendant des heures sans savoir ce qu'elle lisait.

Ses sentiments pour Dallas lui faisaient aussi peur que l'effondrement de son mariage. Dallas n'était pas la solution à ses problèmes. L'erreur à ne pas commettre serait de se raccrocher à lui sous prétexte qu'elle se sentait seule et déprimée.

Surtout, il ne fallait pas que son obsession de Dallas influence les décisions qu'elle prendrait vis-à-vis de son mariage. Ce ne serait pas juste envers Malcomb. Ni envers elle-même. Dans la réalité, elle était seule, face à l'échec de son couple, essayant de comprendre comment elle avait pu en arriver là. Le reste, ses souvenirs d'une passion abrégée, ses rêves éveillés de femme délaissée, c'était une chimère.

Se penchant en avant, elle ramassa un autre album poussiéreux. Elle souffla sur la couverture. Les particules de poussière s'envolèrent, étincelantes dans la lumière du soleil. A la première page, il y avait une photo d'elle avec son frère et son père. Tous les trois déguisés pour mardi gras. Elle se souvint très précisément du week-end où cette photo avait été prise. C'était pendant le carnaval de La Nouvelle-Orléans, la première fois qu'ils y amenaient Ronnie. Elle avait dix-sept ans. Ronnie, dix. Elle avait craint que le bruit de la fête ne le perturbe, mais son père avait assuré que tout se passerait bien. Ce qui fut le cas.

Ronnie, ce soir-là, s'était cassé la voix à force de crier sa joie, il n'avait pas raté un défilé, pas un concert, pas un concours de costume. Son père avait même profité de ses fonctions de sénateur pour le faire entrer dans les coulisses de la salle de concert où s'étaient succédé les rois de la musique cajun. Ainsi, Ronnie avait pu féliciter lui-même ses idoles. C'était bien son père, ça ! Ce qu'il voulait, il l'obtenait toujours. Avec lui, il n'y avait pas de demi-mesure. Et c'était également pour cette raison qu'elle avait eu tant de mal à se remettre de sa mort, aussi subite qu'inattendue.

Nicole passa les doigts sur la photo, s'arrêtant sur le visage de son père. Pour ses électeurs, Gerald Dalton était un chevalier sur un fier destrier, toujours prêt à combattre dragons et brigands pour défendre les plus faibles. Pour ses ennemis — et il en avait ! —, un insoumis, un fauteur de troubles, qui se servait de son charisme auprès des citoyens et des médias pour construire sa carrière politique.

« Assez de souvenirs, se dit-elle. Il est temps de remettre le pied à l'étrier ! »

Si son père avait eu le courage de retrouver goût à la vie, après la mort de la femme qu'il adorait, nul doute qu'elle-même aurait la force de surmonter cette crise.

Elle regroupa tous les albums et les porta jusqu'à la cuisine pour les poser sur la table. Un coup de chiffon, deux ou trois étiquettes d'archivage, et ils étaient prêts à être remontés au grenier.

La sonnette de la porte d'entrée retentit à ce moment. Elle s'essuya les mains rapidement sur un torchon, et se dirigea, d'un pas peu enthousiaste, vers le hall. Il n'y avait que Janice pour débarquer à l'improviste en milieu de journée, et Nicole ne se sentait pas d'humeur à la voir. Mais, derrière la partie vitrée de la porte, ce ne fut pas la silhouette de Janice qu'elle reconnut. Mais celle de Dallas.

Son rythme cardiaque s'accéléra. Qu'allait-il lui annoncer, cette fois ? Elle ouvrit la porte.

— Bonjour, Dallas. J'aimerais te dire que je suis contente de te voir, mais j'imagine que ce n'est pas une visite de courtoisie...

— Pas vraiment.

Il avait la voix anormalement basse. Et l'air grave.

— Que se passe-t-il ? demanda-t-elle pour ne pas retarder la révélation.

— J'ai quelque chose à te dire. Tu as cinq minutes ?

— Oui, sauf si c'est pour me parler du meurtre de Karen Tucker. J'en ai déjà trop enduré à ce sujet.

— Je suis désolé, Nicole, vraiment désolé...

Il regarda dans la maison, par-dessus l'épaule de Nicole.

— Est-ce que Malcomb est là ?

— Non. Il ne rentrera que dans deux heures. Au plus tôt.

— Tant mieux. Je voulais te parler en tête à tête. Puis-je entrer ?

— Je t'ai déjà dit tout ce que je savais. Si tu veux en savoir plus sur Malcomb et ses relations avec l'infirmière retrouvée morte, pourquoi ne vas-tu pas le trouver ? Tu es mieux placé que moi pour lui arracher la vérité.

Elle n'avait pas voulu déverser son amertume, mais il était trop tard pour se reprendre.

Dallas, lui, semblait n'avoir rien remarqué. Il continuait à la regarder droit dans les yeux.

146

— Je ne te poserai pas de questions. J'ai des informations à te communiquer, et je voudrais que nous en parlions, tous les deux.

Elle libéra le passage pour le laisser entrer, puis le devança jusqu'au salon où, quelques minutes auparavant, elle avait trouvé du réconfort à renouer avec le passé. Avec Dallas à l'intérieur, la pièce avait une autre dimension. Il y avait un lien entre eux, une conscience de l'autre qui ajoutait à leur complicité une attirance vive mais contrôlée. Nicole savait pertinemment qu'à ce stade, à la moindre incitation, cette attirance se transformerait en passion torride. Explosive, même.

Elle prit place dans le fauteuil à tissu fleuri, près de la fenêtre. Dallas s'assit dans celui d'en face, poussant du pied, sur le côté, le pouf qui l'agrémentait. Il se pencha en avant, l'air terriblement soucieux. La tension qui électrisait l'atmosphère ne venait pas seulement de leur histoire passée. Elle était produite par Dallas, qui semblait avoir les nerfs à vif. Que s'était-il passé de si terrible ? Elle commença à imaginer les réponses à sa question, mais elle sentait la peur la gagner irrépressiblement.

— Il y a du nouveau dans l'enquête, c'est ça ? demanda-t-elle, préférant couper court à son imagination affolée.

— Pas vraiment.

— Tu penses que Malcomb a tué Karen ?

— Je crois que c'est possible, en effet.

Cet aveu eut sur elle l'effet d'un coup de poing dans le ventre.

— Tu as changé d'avis, alors ? demanda-t-elle. Pourtant, le test ADN a montré qu'il n'était pas le père de l'enfant que Karen portait.

— Il ne s'agit pas du test. Je sais que ce que je vais te dire va certainement te choquer, mais il faut que tu m'écoutes quand même.

— Pourquoi, Dallas ? Pourquoi prends-tu la peine de m'expliquer les raisons de tes soupçons ? Dans la police, on n'a pourtant pas besoin de l'accord de l'épouse pour faire arrêter son mari ?

— Nous n'allons pas arrêter Malcomb. En tout cas, pas tout de suite.

— Donc, tu ne peux pas prouver qu'il est coupable. Maintenant, donne-moi le vrai motif de ta visite ici…

— Je veux que tu t'éloignes de Malcomb. Tout de suite.

Cela, elle en avait déjà l'intention. Mais pas de cette manière.

— En quoi mes affaires conjugales te concernent-elles ?

Il inspira lentement, puis relâcha son souffle avec maîtrise.

— Je crois que tu es en danger, Nicole. Je ne peux pas t'en dire plus. Je n'aurais même pas dû venir te le dire. Mais je ne pouvais pas me résoudre à te laisser courir un tel risque.

Un mélange de désespoir et d'incompréhension s'abattit sur elle.

— Ah non, Dallas ! Pas avec moi ! Tu n'as pas le droit de débarquer ici pour me faire peur avec tes insinuations. Maintenant, tu en as trop dit. Il faut que je sache ce qui se passe.

— Je ne peux pas t'en dire plus. Mais il faut que tu quittes cette maison jusqu'à ce que l'affaire soit bouclée. Va trouver refuge sur une plage du Mexique, ou pars voyager en Europe. Tu peux te le permettre.

— Et comment suis-je censée annoncer ça à Malcomb ?

— Dis-lui que tu as besoin de te changer les idées. Que cette histoire de meurtre te mine. Dis-lui ce que tu veux. Lui ne se gêne pas avec toi. Rends-lui la pareille, pour une fois.

— Je n'aime pas mentir. Et je n'aime pas fuir devant mes problèmes.

Encore que... Maintenant que les mots étaient lâchés, elle se demandait si ce n'était pas exactement ce qu'elle avait fait en acceptant d'épouser Malcomb. Pour fuir devant le vide laissé par son père, fuir devant la difficulté de se retrouver seule avec Ronnie...

— Tu m'as bien dit que les choses ne marchaient pas très bien entre vous, poursuivit Dallas. Au mieux, ce serait une séparation temporaire. Pour réfléchir.

— Et au pire ?

— Ne pensons pas au pire pour l'instant.

Pourtant, n'était-ce pas justement ce qu'il faisait ? se demanda-t-elle. Il en avait les yeux assombris, les lignes du front creusées.

— Si tu veux que je parte, Dallas, il faut tout me raconter. Je ne supporte plus les mensonges et les demi-vérités.

— Très bien, Nicole. Je vais t'expliquer. Mais mon histoire n'est pas belle.

— Vas-y. Je veux savoir.

Et il se mit à lui donner les détails, tout aussi incroyables que terrifiants, qui n'avaient pas été révélés à la presse. Trois femmes, assassinées selon un rite identique : drogue, tortures intimes, sectionnement de la carotide, nettoyage patient des corps. Chaque fois, le meurtrier abandonnait le corps de la victime après lui avoir fait adopter une position obscène. Le meurtre de Karen Tucker, malgré des différences importantes dans la mise en scène, semblait être le quatrième de la série.

— Tu ne crois tout de même pas que Malcomb est le tueur qui terrorise la ville ?

— Donne-moi des arguments qui me prouvent que j'ai tort. Parle-moi de ton mari.

— Il est médecin. Il fait de longues journées à l'hôpital. Il...

— Il a une parfaite maîtrise de lui-même ?

— Je t'ai déjà parlé de ça, mais...

— Est-ce qu'il est désordonné ?

Elle prit sa respiration.

— Non. Au contraire. Il veut toujours que tout soit propre et bien rangé. Le soir, avant de se coucher, il ne laisse jamais un vêtement traîner, et il vérifie toujours que ses pantoufles sont à la place où elle doivent être, juste à côté du lit. C'est même lui qui achète les produits pour nettoyer les sols.

Dallas hocha la tête.

— Ecoute-moi bien, Nicole. Aujourd'hui, une profileuse du FBI nous a fait un portrait psychologique de l'assassin que nous recherchons. Tout ce que tu m'as dit sur Malcomb concorde avec ce portrait. Les violents éclats de rage, l'obsession de l'ordre et de la propreté, l'acharnement à maîtriser son humeur devant les autres...

Elle eut l'impression d'être sous le feu de balles sifflantes. Elle aurait voulu se boucher les oreilles, se recouvrir la tête, pour empêcher ces accusations ridicules de l'atteindre. Au lieu de quoi, elle se redressa et regarda Dallas droit dans les yeux.

— Donne-moi les conclusions exactes de cette profileuse...

Elle écouta Dallas lui rapporter en détail le portrait que l'experte avait élaboré. Et petit à petit monta en elle un trop-plein de haine. Haine envers Dallas qui lui racontait toutes ces choses. Haine envers Malcomb qui correspondait au profil du tueur. Sans oublier la haine qu'elle ressentait envers elle-même... Comment avait-elle pu en arriver à vivre un cauchemar pareil ?

Les inquiétudes de Dallas, néanmoins, lui paraissaient fondées. La personnalité esquissée semblait correspondre trait pour trait à Malcomb. Seul le fait qu'il était marié ne collait pas avec le portrait de la profileuse.

Mais des hommes qui correspondaient au portrait établi par la police, il devait bien y en avoir des centaines dans la région.

— Dallas, ça ne peut pas être Malcomb. Je n'ai pas épousé un fou. C'est impossible.

Sa voix flancha, et elle dut accomplir des efforts surhumains pour contenir les sursauts de ses nerfs.

— Est-ce que tu as une preuve concrète contre lui ?

— Non.

— Alors, ce ne sont que des suppositions. De grotesques suppositions.

— Je l'espère, en tout cas.

— Dallas, Malcomb n'est pas l'homme idéal, mais ce n'est pas un monstre. Je suis mariée avec lui depuis dix mois. Je saurais quelque chose, s'il était capable de commettre de tels actes... Malcomb est-il au courant qu'il est suspecté pour cette série de meurtres ?

— Non, et il ne faut surtout pas qu'il l'apprenne. Ça risquerait de fausser l'enquête.

— Et tu es quand même venu me prévenir, sachant pertinemment que je serais susceptible d'aller lui raconter tout ça.

— J'ai préféré prendre ce risque, oui.

— Pourquoi ?

Se penchant en avant, il lui effleura la joue du revers de la main. Un geste de douceur qui la fit frissonner de la tête aux pieds.

— Je ne suis pas très doué pour analyser mes sentiments, Nicole. Tout ce que je peux dire, c'est que je devenais fou à l'idée de te savoir à ses côtés, alors qu'il est peut-être l'assassin que nous recherchons.

— Merci de penser à moi, Dallas. Mais je veux prendre le temps de réfléchir à la situation.

— Quoi ? Ce n'est pas le moment ! Prépare un sac, je t'emmène.

— Ce n'est pas aussi simple.

— Mais si ! Une femme qui quitte son mari… Ça arrive tous les jours. Tu n'as qu'à rester avec moi le temps qu'il faudra.

Trouver refuge chez Dallas. A une certaine époque, cette invitation l'aurait rendue folle de joie et d'excitation. Et, au fond, aujourd'hui, les choses n'étaient pas si différentes. Partir avec lui et oublier la vie qu'elle laissait derrière elle ! La solution était tellement tentante… Seulement, ce serait aussi une belle source de complications. Et qui pourrait, de surcroît, la conduire à un nouveau déchirement.

Nicole ferma les yeux et pensa à Malcomb, le matin, en peignoir et chaussons, plongé dans la lecture du journal local. Elle le vit aussi versant du vin dans deux verres en cristal du service qu'ils avaient reçu pour leur mariage. Et en Grèce, quand il avait sauté de la proue du bateau dans la mer Adriatique aux reflets turquoise, l'appelant pour qu'elle vienne le rejoindre. Non, il ne pouvait pas être le fou criminel que décrivait Dallas.

— Tu es aussi têtue que ton père, dit Dallas.

— Merci.

— Oh, ce n'était pas un compliment !

— Je sais.

— Je voudrais surtout que tu ne répètes à personne les révélations que je t'ai faites. Pas même à Janice. Si la moindre info t'échappe, l'enquête peut être compromise.

— Mes lèvres sont scellées.

Il se dirigea vers l'entrée, d'un pas alourdi, le dos courbé, comme s'il avait vieilli au cours des derniers instants. Devant la porte, il se retourna et regarda Nicole en face.

— Appelle-moi si tu changes d'avis.

— Promis.

Elle fit un pas en avant, et s'arrêta à quelques centimètres de lui, avec l'envie irréalisable de se couler dans ses bras, et d'y rester jusqu'à ce que le monde autour d'elle reprenne un cours décent. Mais si elle faisait un demi-pas de plus, elle n'aurait pas la force de le laisser partir seul.

Dallas lui posa un doigt sur les lèvres.

— Fais bien attention à toi. Fais *très* attention.

Elle s'attarda sur le perron, le regardant s'éloigner. Dire que, derrière elle, il y avait cette grande maison vide dans laquelle elle allait devoir rentrer ! Sa maison, désormais hantée par des images terrifiantes de femmes assassinées après avoir subi d'atroces souffrances ! Un tueur macabre avait frappé à quatre reprises. Ce ne pouvait pas être Malcomb… Non, c'était décidément impossible. Cependant, alors qu'elle entrait dans la maison, un frisson la glaça. Un signe peu encourageant, au moment où elle avait besoin de toutes ses forces pour assumer son rôle de Mme Lancaster.

*
**

Dans le bar, embrumé par les fumées de cigarettes, régnait une atmosphère étouffante d'odeurs d'alcool, de tabac et de sueur. Penny avait choisi sa place avec soin. Juste en face de la porte d'entrée.

Ce n'était pas la première fois qu'elle se retrouvait dans ce repaire de minables intoxiqués. Elle y avait déjà accompagné Karen, à sa demande, le soir où celle-ci avait décidé d'annoncer à son docteur chéri qu'elle attendait un enfant de lui, et qu'il n'était pas question qu'elle débarrasse le plancher pour lui faciliter la vie.

Penny s'était alors sentie mal à l'aise dans cet endroit. Ce soir, ce sentiment ne faisait que s'aggraver. Il faut dire qu'elle ne tenait pas en place, tant la peur la tenaillait. Elle en savait trop. Le docteur en question avait menacé de tuer Karen ! Elle l'avait entendu. Il aurait tout fait pour que sa femme reste dans l'ignorance de ses « passe-temps ». Et elle connaissait aussi le club et les activités qu'on y pratiquait. Les photos prises dans un campement abandonné, au cours de séances de poses particulières qui dégénéraient souvent. Elle en savait quelque chose : elle-même y avait participé.

— Tu veux danser ?

Penny dirigea son regard sur un individu plutôt jeune qui s'était agenouillé, tout sourire, devant elle. Il avait les dents salies par la nicotine, une barbe de deux jours, et il sentait la bière à plein nez.

— Non, merci.

— Je peux m'asseoir, dans ce cas ? Une fille si jolie, ça reste pas toute seule à une table.

— Je ne suis pas seule.

— Oh, excusez-moi, dit-il en hochant la tête en direction de la chaise vide en face d'elle. Je ne vous avais pas vu, môssieu… Vous avez une ben mignonne poulette, môssieu.

154

Si jamais vous avez besoin d'aide, envoyez-la-moi. Je me ferai un plaisir de l'initier aux plaisirs avec un vrai mec.

— Je… J'attends quelqu'un.

— Et moi, je suis personne ?

Penny se mit à transpirer. Bien sûr, elle savait que ça faisait partie de son plan d'intimidation : lui donner rendez-vous dans un endroit pareil, et l'y faire attendre, suffisamment pour qu'elle ait le temps d'avoir peur.

— Excusez-moi, je ne voulais pas vous vexer. Je préfère rester seule, c'est tout.

— Eh, ma jolie, n'en fais pas tout un fromage ! Je sais me tenir. Quand une femme me dit non, j'insiste pas. Seulement, c'est malheureux pour elle. A ce qu'on m'a dit, je suis une bonne affaire. Enfin, tant pis. Réfléchis-y quand même.

Il lui fit un clin d'œil et, avec un gloussement, s'en retourna au bar.

Penny ouvrit son sac à main, posé à côté d'elle sur la banquette, et fouilla dans son porte-monnaie à la recherche de la monnaie exacte pour payer son Coca light. Une demi-heure d'attente, c'était trop. Il n'était pas question de rester une seconde de plus. De toute façon, le marché serait conclu. D'une manière ou d'une autre. Car si elle le refusait, elle mourrait.

« Joue le jeu et tout ira bien », lui avait dit Malcomb. Oui, mais Malcomb avait été aussi le conseiller de Karen. Ce qui prouvait bien qu'un cardiologue même très diplômé ne s'y connaissait pas forcément en affaires de cœur !

Alors qu'elle s'avançait vers la serveuse pour régler, la porte s'ouvrit, laissant entrer un courant d'air glacial, suivi tout de suite après du Dr Jim Castle. Celui-ci parcourut le bar du regard, puis la trouva. Pas de sourire, ni de hochement de tête. Seulement une moue peu aimable et un air affairé.

La serveuse interrompit ce qu'elle faisait pour dévisager le nouveau client. Pouvait-elle imaginer, se demanda Penny, que cet homme en costume impeccable et cravate de soie était un psychiatre capable de tuer ?

La migraine l'avait rapidement gagnée, et lorsque Malcomb téléphona pour prévenir qu'il ne serait pas rentré pour le dîner, elle avait la moitié du visage endolori. L'appel, en tout cas, tombait à pic. Elle aurait plus de temps pour se reprendre en main et se préparer à accueillir Malcomb. Elle redoutait de lui faire face en ayant à l'esprit les terrifiantes révélations de Dallas.

Elle alla se servir un verre d'eau qu'elle monta dans sa chambre. Un peu d'aspirine l'aiderait. Dans l'armoire de leur salle de bains, elle prit un tube de cachets qu'elle eut du mal à ouvrir tant elle tremblait. Finalement, le couvercle céda et elle prit deux cachets dans la main. L'armoire à glace était remplie de médicaments plus efficaces que l'aspirine, des échantillons pour la plupart, que Malcomb rapportait de l'hôpital, mais Nicole tenait à garder la tête claire.

Elle alluma la chaîne hi-fi, et les notes mélodieuses d'un concerto pour piano s'élevèrent dans l'atmosphère douillette de la chambre qu'elle partageait avec Malcomb. Elle se déchaussa, se jeta sur le lit, et, après s'être calé le dos contre un oreiller, plaça un plaid sur ses jambes. Elle ferma les yeux, mais à la même seconde elle se retrouva face à d'horribles images de cadavres de femmes.

Mon Dieu ! songea-t-elle. Que de mensonges accumulés ! Sans parler des portes fermées à double tour. Comment sa vie avec Malcomb pouvait-elle ressembler à ce quotidien sournois et effrayant ? L'appartement au-dessus du garage, il lui appartenait bien avant de devenir le bureau de Malcomb. Elle avait le droit de savoir ce qui s'y trouvait. Son cœur battait la chamade quand, enfin décidée, elle décrocha son téléphone pour appeler un serrurier du quartier.

Il fallait à tout prix qu'elle découvre ce que Malcomb gardait caché dans son bureau. Les résultats de ses dernières recherches ? Ou les preuves qu'il avait l'esprit dérangé ? Du matériel photographique de pointe, ou des souvenirs macabres de femmes tuées et torturées ?

Comment pouvait-elle avoir de telles idées en tête ? Pourtant, la folie ne venait pas d'elle. Elle lui était tombée dessus par le biais d'un papier griffonné à son nom. Elle n'avait pas d'autre choix que d'élucider ce mystère.

— Jake au bout du fil. Que puis-je pour vous ?

— Bonjour, Jake. C'est Nicole Lancaster à l'appareil. J'ai encore perdu un trousseau. Cette fois, ce sont les clés de l'appartement au-dessus du garage qui me manquent. Dans combien de temps pourriez-vous passer pour m'ouvrir ?

— Je peux être chez vous d'ici dix minutes. Ça ira ?

— Parfait. Je vous attends.

Elle raccrocha et descendit dans le salon pour y attendre Jake. Elle ne savait pas ce qu'elle allait trouver derrière la porte de Malcomb, mais, dans tous les cas, elle était prête. Prête à affronter la vérité. Fût-elle aussi laide et effrayante que le pire scénario qu'elle avait imaginé.

« Si tu changes d'avis, appelle-moi. »

Ce n'étaient pas des paroles en l'air. Elle pouvait compter sur Dallas. Et cette certitude lui permit de tenir bon jusqu'à l'arrivée de Jake.

11.

Nicole se précipita derrière la porte d'entrée quand elle entendit le bruit de moteur poussif signalant l'arrivée de la camionnette du serrurier. Elle se sentait fébrile, haletante d'angoisse.

Elle préféra rester seule à l'intérieur pendant que Jake allait débloquer la serrure. Quand elle entendit la camionnette s'éloigner, son pouls se mit à battre si fort qu'elle doutait de pouvoir mettre le pied dehors.

A y réfléchir, il était probable qu'elle ne trouverait rien d'accablant dans l'atelier de Malcomb, mais les soupçons dont Dallas lui avait fait part étaient si graves que cette porte semblait ouvrir sur un territoire effrayant.

Finalement, elle regroupa ses forces et se rendit, d'un pas déterminé, devant l'entrée de l'atelier. Un petit tour de poignée, une légère poussée, et la porte s'ouvrit. La pièce avait pris l'odeur de Malcomb. Un mélange du parfum musqué qu'il portait tous les jours et du spray antiseptique qu'il utilisait régulièrement sur les surfaces qu'il touchait.

Et malgré l'obscurité presque totale, elle se rendit compte de l'organisation et de l'aménagement de l'espace. Pas de dossiers empilés sur le bureau, ni de journaux abandonnés sur un siège. Pas de canette vide oubliée, ni de tasse à café traînant sur la tablette. Un rangement impeccable.

Elle tâtonna sur le mur et trouva l'interrupteur. Le plafonnier s'alluma, envoyant une lumière vive qui fit disparaître les ombres troublantes. Son pouls ralentit. Le temps d'un souffle. Jusqu'à ce que son regard tombe sur les photos accrochées au mur, derrière le bureau.

Des photos aux couleurs violentes. Grand format. On aurait dit des pages déchirées dans un magazine pornographique. Seulement, elles n'étaient pas déchirées. Au contraire. Il y avait un bord blanc tout autour. Elles étaient prêtes pour l'encadrement. Prêtes à venir décorer l'intérieur d'un déséquilibré.

Tétanisée, elle n'arrivait pas à décoller les yeux de ces images tandis qu'une envie de vomir s'empara d'elle. Sur les photos, des hommes et des femmes se livraient à des actes sexuels sadomasochistes.

L'étourdissement passa. Elle alla voir de plus près. Sur chacune de ces photos, l'homme était en position dominante. La femme, elle, faisait figure de poupée. Plus petite que son partenaire, elle apparaissait toujours nue, avec ses parties intimes clairement exposées. Mais le plus frappant, c'était l'expression de douleur sur son visage.

Cela la rendait malade de savoir que des gens acceptaient de poser pour ce genre de photos ! Et que dire de ceux qui les achetaient ! C'était pire ! L'horreur, c'était que dans le lot il y avait son mari ! Son estomac se contracta de nouveau, cette fois de façon si violente qu'elle dut se précipiter dans la petite salle de bains.

Quelques minutes plus tard, après s'être humecté le visage, elle retourna devant les photos. Ces images rendaient les soupçons de Dallas cent fois plus crédibles qu'avant. Mais, aussi écœurantes fussent-elles, elles ne prouvaient pas que Malcomb avait assassiné quatre femmes. S'il y avait partout chez les vendeurs de journaux des magazines pornographiques, c'est qu'il y avait des acheteurs. Malcomb n'était pas le seul à pratiquer ce passe-temps malsain.

Elle traversa la pièce pour entrer dans la chambre noire que Malcomb s'était fait installer. Tous les accessoires, pinces, flacons et bacs, y étaient à leur place. Et au moins, il n'y avait pas de photos obscènes suspendues. Elle referma la porte derrière elle et alla s'asseoir au bureau, dans le fauteuil en cuir de Malcomb. Elle tenta d'ouvrir le premier tiroir du bureau. Fermé à clé. Elle eut plus de chance avec les autres. Il n'était pas difficile de parcourir leur contenu, car il y avait des compartiments en plastique, chacun renfermant un type d'objet et un seul. Stylos, ciseaux, colle, trombones, agrafes. Tout un nécessaire à bureau.

L'avant-dernier tiroir à droite renfermait une pile de magazines encore emballés. Ils avaient tous été envoyés à des noms de destinataires différents, mais adressés à la même boîte postale. Evidemment. Malcomb n'aurait pas pris le risque de se les faire envoyer à son vrai nom, au bureau ou à son domicile. A l'extérieur de cet antre, Malcomb était un homme respectable, un chirurgien de renom, dont la réputation était au-dessus de tout soupçon.

Quelle contradiction, se dit-elle, entre l'image qu'il désire donner de lui-même et les pulsions qui le consument, et qui le contraignent à passer son temps libre enfermé dans cette pièce !

Elle ouvrit le dernier tiroir. Il était occupé en partie par un bac en plastique bleu. A côté, des coupures de journaux. Il s'agissait des articles sur les meurtres commis par le tueur en série. Malcomb n'avait pourtant pas paru très intéressé par cette affaire. Et cependant, il s'était donné le mal de découper les articles, de les classer et de les agrafer.

Elle y jeta un coup d'œil. Chaque fois, à côté du texte, une photo de la victime de son vivant. Penser que ces jeunes femmes souriantes n'étaient plus de ce monde, à cause d'un sadique qui avait croisé leur chemin...

Nicole frissonna.

Elle remit les coupures en place et sortit le bac bleu du tiroir. Elle découvrit un paquet de petites photos en noir et blanc. Celles-ci avaient pour sujet des jeunes femmes brunes, plutôt jolies, entre vingt et trente ans. Elles étaient plus ou moins habillées, selon les clichés, mais le style de la pose ne changeait pas. Vulgaire. Provocateur.

Etait-ce Malcomb qui avait pris ces photos ? Si oui, quand ? Avant qu'il ne la rencontre ? En même temps qu'il lui faisait la cour, la comblant de cadeaux et d'attentions ? Ou depuis qu'ils étaient mari et femme, au cours de ces nuits qu'il disait passer à l'hôpital ?

Elle se prit la tête dans les mains, ne sachant plus quoi penser tellement elle se sentait blessée, salie. Comment avait-elle fait pour se retrouver dans une situation aussi dégradante ?

Elle ne s'étonnait plus, à présent, que Malcomb ait un si grand besoin d'antiseptique et de produits désinfectants. Jamais, de toute sa vie, elle ne s'était sentie aussi souillée. Elle prit le paquet de photos, reforma un rectangle en tapotant les bords contre la surface du bureau, puis remit le tout dans le bac ajusté à ce petit format.

Après avoir refermé le tiroir, elle se saisit du téléphone pour appeler Dallas. Il était le seul à qui elle pourrait raconter ce qu'elle venait de voir. Le seul à qui elle avait envie de parler. Alors qu'elle composait les deux premiers chiffres de son numéro, elle sentit un courant d'air froid. Elle releva la tête. Malcomb se tenait dans l'embrasure de la porte.

Elle eut la nausée en le voyant. Ce n'était pas une réaction passionnelle. Seulement un dégoût comme elle aurait pu en ressentir face à n'importe quel pervers. Car au fond de son cœur, elle savait qu'elle ne lui appartenait pas. Tout ce qui avait existé entre eux n'était que vitrine, artifice social.

Elle replaça le téléphone sur son socle.

— Bienvenue à la maison, Malcomb, dit-elle d'un ton qu'elle s'efforça de rendre sarcastique.

— Alors comme ça, tu as fini par mettre les pieds dans mon atelier.

— Je ne me souviens pas d'y avoir été jamais invitée. Ni d'avoir été prévenue du changement de serrure.

— Pourtant, je te l'ai dit. J'en suis sûr. L'autre était rouillée.

— Non, je m'en serais souvenue, si tu en avais parlé.

— Mais tu as quand même trouvé la clé de secours qui est dans la cuisine avec les autres clés.

Elle ne le contredit pas. S'il y avait une clé dans la cuisine, c'est parce qu'il venait de l'y mettre. Il avait, à l'évidence, vu la lumière allumée au-dessus du garage, et conclu qu'elle était en train de visiter son repaire.

Malcomb ôta sa veste et la balança sur un dossier de chaise d'un geste nonchalant. C'était un signe. Dans une autre circonstance, il aurait pris soin de la plier. Ainsi, Malcomb était troublé. Cette intrusion le prenait de court.

— Tu tombes mal, pour ta première visite, dit-il. Mes décorations murales ont dû te choquer.

— Choquer ? Le mot est faible.

— Je te comprends. J'ai eu du mal, moi aussi, à m'y habituer.

— Maintenant, tu t'y es fait ?

— Pas vraiment, non. Elles appartiennent à Jim Castle. Il écrit un article intitulé « Sodome et Gomorrhe au goût du XXIe siècle ».

— Titre alléchant !

— Euh, il dénonce ces pratiques, bien sûr. Il n'en fait pas l'apologie.

Malcomb sourit, manifestement content de sa remarque.

— Pourquoi les photos se trouvent-elles ici, dans ce cas ?

— Jim voudrait que je lui en fasse des réductions. Il fera une présentation sur ce sujet le mois prochain, à Chicago, lors d'une conférence sur les déviances sexuelles.

— Alors tu les as accrochées au mur, histoire d'en profiter un peu !

— Arrête… Tu me connais mieux que ça ! C'est seulement qu'il doit choisir douze clichés pour la conférence. Il m'a demandé de le conseiller. A mon avis, d'ailleurs, elles se valent toutes !

Il traversa la pièce et se glissa derrière elle. Il posa les mains sur ses épaules et se mit à lui caresser le cou avec ses pouces.

Elle déglutit plusieurs fois, contrôlant comme elle le pouvait l'écœurement qui s'était emparé d'elle. Impossible de supporter une seconde de plus qu'il la touche, qu'il lui mente avec cet aplomb…

— Est-ce que tu as faim ? demanda-t-elle en se levant pour s'écarter sur le côté.

— Tu es encore sous le choc, hein ?

Il se tourna vers le mur d'exposition et commença à enlever les photos.

— Nicole, tu peux me croire. Je ne les aurais jamais laissées traîner si j'avais su que tu allais monter.

Là elle voulait bien le croire.

— Ce n'est pas grave, Malcomb. Ici, c'est ton domaine. Je ne reviendrai pas avant que les retirages soient finis.

— Mais pas du tout, dit-il se retournant vers elle. Je veux que tu te sentes libre de monter ici quand tu le souhaites. Ce qui rend notre relation si unique, c'est justement l'assurance que nous pouvons avoir de tout partager. Mais, dis-moi, y a-t-il autre chose qui te tracasse ?

— Non. Je venais juste d'arriver, dit-elle, espérant qu'il ne soupçonnerait pas son mensonge. Ces photos m'ont arrêtée net.

Il se pencha vers le sol, ramassa un brin d'herbe qui avait dû se décoller d'une de leurs semelles, et le jeta dans la corbeille.

— J'ai une petite faim, moi, dit-il. Je me suis pris un sandwich à midi à la cafétéria de l'hôpital, et je n'ai rien mangé depuis. Et si mon nez ne m'a pas trompé, j'ai cru deviner tout à l'heure, en passant dans la cuisine, que tu avais préparé des spaghettis à la romaine.

Il la prit par le bras et l'entraîna dehors. La porte de l'atelier se referma derrière eux avec un bref claquement. Désormais, Nicole connaissait le vrai visage de son mari.

Quatre femmes avaient été assassinées. Si Malcomb était responsable de ces meurtres, elle ferait tout ce qui était en son pouvoir pour éviter une cinquième mort. Ce qui signifiait qu'elle ne pouvait quitter Malcomb au pied levé, comme Dallas le lui avait demandé.

Dormir dans le lit de l'ennemi allait devenir son quotidien. En espérant qu'elle y survivrait.

Malcomb, un verre de whisky à la main, essayait de contenir sa joie tandis que Nicole finissait les derniers préparatifs du dîner. C'était exactement la vie dont il avait toujours rêvé. Une vie située à des années-lumière du taudis dans lequel il avait grandi.

164

Ce soir, pendant un instant, il avait cru être sur le point de tout perdre, mais la situation s'était vite rétablie. Grâce à sa rapidité d'esprit qui le mettait hors de portée des faibles. Par exemple, ce Jim Castle qui, comme lui, recherchait la débauche. Mais, contrairement à son collègue, Malcomb, lui, était bien trop intelligent pour commettre une imprudence.

Il aimait bien Jim, au fond. Mais pas suffisamment pour le protéger au risque de s'exposer lui-même. Jim avait manqué de jugement. La sottise, c'était déjà néfaste. Ajoutée à la culpabilité, c'était un désastre. Heureusement, Malcomb était à l'abri de l'une et de l'autre.

Dallas sortit du commissariat et rejoignit sa voiture. Il allait bientôt être minuit. Son corps montrait des signes de fatigue, mais dans son esprit les idées continuaient de se bousculer à toute allure, promettant un sommeil difficile. Après avoir quitté Nicole, il s'était rué à son bureau et n'en était pas sorti depuis. Il avait de nouveau parcouru toutes les photos prises sur les lieux du crime, tous les rapports d'expertises, y compris celui de la profileuse. La solution devait bien se trouver quelque part. Il fallait juste qu'il mette le doigt dessus.

Une voiture arriva derrière lui, l'éblouissant de ses phares allumés. Elle pila juste à ses côtés. Il porta instinctivement la main à son arme à feu.

— Tu ne dors jamais, collègue ?

C'était la voix de Corky.

— Toi ? Qu'est-ce que tu fiches ici ? Tu ne devais pas passer la soirée chez ta mère et en profiter pour te coucher tôt ?

— J'ai bien essayé de fermer l'œil. Mais impossible de dormir. J'ai appelé chez toi, mais comme tu ne répondais pas je me suis douté que tu étais encore au bureau.

— Je ne cesse de penser qu'on est passés à côté d'un détail, même insignifiant, qui nous mettrait sur la voie…

— T'inquiète pas ! Freddie-les-Mains-Propres fera tôt ou tard une erreur. Il se croit invincible, mais il va finir par glisser sur une peau de banane, et on lui tombera dessus.

— Après combien de victimes ?

— Oh là, tu es d'humeur pessimiste ! Tu veux qu'on aille prendre un café ?

— Non, un café à cette heure-ci m'empêcherait pour de bon de dormir.

— Alors, peut-être un beignet aux pommes ? Je viens juste d'en acheter une demi-douzaine au fast-food du coin.

— Toi, tu es un drogué des beignets. Ça fait peine à voir, ajouta Dallas en ouvrant la portière de la voiture de Corky. Faisons plutôt un petit tour en voiture.

— J'espère que tu ne veux pas aller à l'endroit où on a retrouvé les corps. C'est trop loin, et puis il fait nuit… Sans compter que, là-bas, ça grouille de serpents, d'araignées et de je ne sais quels autres rampants.

— Ne me dis pas qu'un inspecteur de ta carrure a peur de quelques bestioles de nuit ?

— Ne minimise pas leur pouvoir.

— En fait, je ne pensais pas aller dans cette jungle. Je voulais seulement faire un saut chez les Lancaster.

— C'est trop tard pour les visites.

— Je sais, merci. Mais j'aimerais passer devant la propriété, voir si les lumières sont encore allumées. Peut-être que ce bon docteur souffre d'insomnie ?

— Tu n'as pas d'éléments contre lui, et le chef t'a déjà demandé de mettre la pédale douce. Si tu veux embêter le

Dr Lancaster ou n'importe lequel de ses collègues médecins, tu as plutôt intérêt à avoir récolté des preuves solides. Que tu aies le béguin pour sa femme ne constitue pas une raison solide, mon vieux !

Béguin ? Le mot était bien faible. Mais inutile d'en faire la remarque à Corky.

— Allez, le fanatique des beignets, démarre ! On ne fera que passer.

Quelques minutes plus tard, quand ils ralentirent devant la propriété des Lancaster, ils constatèrent que les lumières étaient éteintes. Toute la maisonnée semblait endormie, comme l'avait été son téléphone portable tout l'après-midi. Il avait espéré, en vain, un appel de Nicole. Et maintenant, elle était allongée à côté de son mari dans le lit conjugal.

Peut-être Malcomb, en ce moment même, tendait-il les bras vers elle, l'attirant contre lui et la serrant très fort. Peut-être respirait-il à pleins poumons la douce odeur de ses cheveux, et goûtait-il au délicieux nectar de sa bouche, tout en caressant son corps. Comme Dallas, neuf ans plus tôt, avait eu le bonheur de le faire.

Malcomb était son mari, il avait tous les droits. Lui n'en avait aucun, sinon celui de veiller sur elle.

Nicole ne parvenait pas à fermer l'œil. Cela faisait longtemps, maintenant, que la respiration de Malcomb s'était stabilisée. Il avait voulu faire l'amour, et elle avait décliné ses avances en prétextant une migraine. Qu'elle avait d'ailleurs, plus tenace que jamais. Mais c'était l'idée même d'un rapport sexuel avec lui qui la rendait malade. Elle ne pouvait se débarrasser de cette sensation de vertige, comme un malaise ressenti au-dessus d'un trou noir sans fin.

Si seulement elle avait appelé Dallas, pour le mettre au courant des découvertes de la soirée et lui demander conseil… Mais elle n'avait pas osé le faire avec Malcomb à la maison. Ce qui repoussait toute possibilité au lendemain matin, après son départ pour l'hôpital.

Etrange coup du sort. C'était vers son premier amour qu'elle allait trouver refuge, au moment où son mariage prenait eau de toutes parts. Vers l'homme qui, par une nuit d'orage, lui avait fait connaître un si grand bonheur, et qui, le lendemain, aux premiers rayons du soleil, l'avait abandonnée sans un mot.

Leur histoire, même éphémère, l'avait éveillée à l'amour, et ces premiers sentiments étaient inoubliables : passion, euphorie, excitation… Un amour trop beau pour disparaître de sa mémoire. Et trop triste pour resurgir dans ses rêves.

Mais elle ne rêvait pas, en cet instant. Elle était complètement éveillée, et les souvenirs de cette passion allumaient en elle des feux bien réels, à l'endroit où les mains de Dallas avaient su stimuler son désir. S'efforçant de reprendre son souffle, elle glissa les jambes hors du lit.

Elle sortit de la pièce sur la pointe des pieds pour ne pas réveiller Malcomb.

Alors qu'elle descendait l'escalier, des images du passé lui remontèrent à l'esprit, tellement vives qu'elle sentit ses vêtements trempés lui coller à la peau…

Ils montaient l'escalier de l'appartement situé au-dessus du garage. La pièce, à cette époque, était très différente. Il y régnait une ambiance confortable et douce. Une ambiance qui s'était enrichie de sensualité quand Dallas, les cheveux luisants de pluie, avait enlevé sa veste en cuir noir.

168

Arrivée dans le salon, Nicole s'effondra dans le canapé et se blottit contre les coussins, ramenant sur elle le plaid en cachemire. Ses souvenirs avaient pris le dessus, la ramenant neuf ans en arrière, ce fameux soir d'orage…

Dallas l'entraînait contre lui, et elle se sentait enveloppée dans la chaleur musquée qui émanait de ses vêtements. Et puis, il se mettait à la déshabiller, ôtant les boutons de son chemisier d'une main, et passant l'autre sous sa jupe pour se glisser dans sa culotte.

— Dis-moi non, Nicole… Envoie-moi au diable.

Elle ne l'avait pas fait. C'était au-dessus de ses forces. Elle avait ressenti du désir pour lui dès la première fois qu'elle l'avait vu. Et ce soir-là, son envie atteignait tous les sommets.

Ils se débarrassaient l'un et l'autre de leurs habits, les laissant tomber sur le sol, là où ils les avaient enlevés. Il la couvrait de caresses et de baisers, l'embrassant comme jamais personne ne l'avait embrassée. Ils avaient basculé sur le sol et roulaient dans les bras l'un de l'autre, captifs de leurs instincts.

Il avait un corps magnifique.

— Je suis contente que ce soit toi, Dallas, lui avait-elle soufflé. Tellement contente que ce soit toi.

— Ne pense à personne d'autre que moi, quand tu es dans mes bras.

— Mais il n'y a personne d'autre. C'est ce que je voulais te dire. C'est la première fois, et c'est avec toi.

Il s'était redressé d'un coup. Croyant qu'il allait la rejeter parce qu'elle était vierge, elle s'était sentie cruellement blessée. Mais elle avait croisé son regard, et avait été rassurée d'y percevoir un désir intense.

— Est-ce que c'est vraiment ta première fois ? avait-il demandé, la tenant dans ses bras avec délicatesse, comme si elle avait été faite de porcelaine.

— Oui.

— Et moi qui me lance comme un fou, en faisant n'importe quoi…

— Non, Dallas. C'est très bien. Continue, je t'en prie. Prends-moi, maintenant.

— Oh, ma chérie !

Les mots résonnaient encore dans sa tête, comme si elle venait de les entendre. *Ma chérie*. Il n'avait pas cessé de l'appeler ainsi alors qu'il entrait tout doucement en elle. Et puis, ensemble, ils s'étaient élancés dans un galop érotique, qui les avaient menés tout droit au paradis. Tout avait été d'une absolue perfection.

Nicole se pelotonna sous le plaid, se recroquevillant dans la moiteur de son corps brûlant d'émois. Cette nuit-là, ils avaient fait l'amour deux fois. Et la deuxième fois avait été encore plus merveilleuse. Elle avait atteint le sommet des sommets, et s'était même attardée dans les hauteurs.

Une nuit exquise, mais déjà si éloignée. Et puis, juste après, il y avait eu pour elle la grande détresse du cœur brisé. Elle avait même cru ne jamais s'en remettre.

Nicole se frotta les paupières, faisant disparaître au passage les larmes qui débordaient du coin de ses yeux. Pourquoi pleurait-elle ? Parce qu'elle s'était abandonnée à un passé qu'elle aurait souhaité revivre ?

Peut-être était-ce une façon inconsciente d'échapper à la sordide réalité qu'elle vivait. A travers ses fantasmes, elle pouvait toujours se revoir à l'aube de sa jeunesse, dans les bras de son premier amour. Cela ne changeait rien au fait qu'aujourd'hui elle était peut-être mariée à un tueur

170

en série. Et qu'elle seule pouvait agir pour empêcher un nouveau meurtre.

Nicole fut réveillée en sursaut par la sonnerie du téléphone. Il faisait noir, au-dehors. Elle était toujours sur le canapé, enroulée dans le plaid, des crampes dans les jambes à cause de la position en chien de fusil qu'elle avait adoptée dans son sommeil.

La sonnerie cessa avant qu'elle ait eu le temps de s'approcher du téléphone. Apparemment, Malcomb avait été plus rapide qu'elle. Il avait dû décrocher l'appareil près du lit. Avait-il été surpris de ne pas la voir à son côté ? S'imaginait-il qu'elle le fuyait ? Comme il valait mieux ne pas le contrarier, elle alla prendre un verre d'eau dans la cuisine. Elle remonterait en lui laissant croire qu'elle était descendue pour étancher une soif nocturne.

Quand elle entra dans la chambre, elle vit Malcomb, levé, enfilant un pantalon gris.

— Un appel de l'hôpital ? demanda-t-elle en posant le verre sur la table de chevet.

— Non. C'était Sara Castle.

— La femme de Jim ?

— Oui. Jim vient d'être emmené aux urgences.

— Que s'est-il passé ?

— Sara a été réveillée par un bruit sourd. Jim n'était plus à côté d'elle. Elle s'est levée pour aller voir ce qui se passait. Elle l'a retrouvé par terre dans la cuisine. Inconscient.

— Une crise cardiaque ?

— D'après ce que j'ai compris, c'est une overdose d'antidépresseurs. Mais je n'ai pas pu en savoir plus. Sara était littéralement hystérique.

— Je m'en doute. Est-ce qu'il va s'en sortir ?

— Pour l'instant, on ne lui a rien dit. Elle veut que je la rejoigne et que je me renseigne.

— Pauvre Sara... Veux-tu que je vienne avec toi ?

— Non, pas cette nuit. Retourne te coucher. Je t'appellerai dès que j'aurai du nouveau.

— J'ai du mal à croire que Jim ait voulu se suicider. Est-ce que ça peut être un accident ?

— C'est certainement à cause de cet inspecteur de malheur ! Il est venu interroger Jim au sujet de la mort de Karen ! Et Jim avait une peur bleue qu'on ne lui mette ce meurtre sur le dos...

— Pourquoi ? Je ne vois pas le rapport.

— Le rapport, c'est que la police de Shreveport fait n'importe quoi, et n'importe comment. Ce sont des incompétents.

— C'est faux.

Sans prendre la peine de répondre, il continua calmement de s'habiller. Nicole pensa alors à Jim. Lui qui menait une vie si tranquille, si rangée... Dallas l'avait peut-être effectivement poussé à une crise d'angoisse.

Elle regarda Malcomb se raser puis se coiffer. Il était odieusement beau. Y compris au milieu de la nuit. Pourtant, quand elle le considérait, maintenant, elle ne voyait plus l'homme qu'elle avait épousé, mais le calculateur cynique et immoral qu'elle avait découvert.

Que répondrait-il, si elle lui posait la question à brûle-pourpoint ? Avait-il oui ou non tué Karen et trois autres femmes avant elle ? Est-ce qu'il s'attaquerait à elle de la même manière que pour les autres ? Ou s'en irait-il en silence, lui jetant un dernier regard, lourd de mépris et de compassion ?

— Recouche-toi, Nicole. Tu n'as pas l'air dans ton assiette.

172

En effet. Elle ne se sentait pas bien.

Il se pencha sur elle et l'embrassa lentement, lui caressant la nuque de la main droite. Elle eut le réflexe de se dégager. Mais il l'immobilisa en resserrant ses doigts.

— Que se passe-t-il, Nicole ? Tu trembles. Si je ne te connaissais pas mieux, je jurerais que tu as peur de moi.

— Non, bien sûr que non, réussit-elle à murmurer.

Il glissa la main dans son décolleté, et écarta les doigts, frôlant la pointe de ses seins.

— Tu es beaucoup plus jolie que les filles des photos, Nicole. Beaucoup plus jolie.

Il se pencha de nouveau et l'embrassa une dernière fois. Un baiser froid et dominateur. Mon Dieu ! C'était certain, maintenant ! Il allait lui faire subir la même chose qu'à Karen. Quand, après le baiser, elle croisa son regard, elle eut confirmation de son intuition. Cet homme-là avait décidé d'en finir avec elle.

Tremblante, elle se laissa glisser contre la porte fermée. Les pas de Malcomb s'éloignaient peu à peu. Mais il reviendrait. Un nouveau sentiment grandit en elle. Plus fort que la peur, plus paralysant que le malaise qu'elle avait éprouvé en découvrant les photos.

C'était un sentiment de terreur pure.

12.

Nicole sombra dans un sommeil agité, roulant d'un bord du lit à l'autre, se réveillant par intermittences dans un bain de sueur, avant de replonger dans un cauchemar plus vrai que nature. Elle pêchait au milieu d'un lac avec son père et Ronnie. D'un seul coup, le flotteur de sa ligne s'enfonçait dans l'eau. Elle tirait, tirait dessus de toutes ses forces, mais la prise était trop grosse, et elle risquait de passer par-dessus bord.

Alors qu'elle se retournait pour solliciter de l'aide de la part de son père et de Ronnie, elle s'aperçut qu'ils n'étaient plus là. Elle se retrouvait seule au milieu du lac. Quand elle réussit à sortir la prise de l'eau, elle vit qu'il n'y avait pas un poisson, au bout, mais un homme. Un homme vêtu d'un drap d'algues et serrant dans sa main un couteau.

Par chance, ce fut à ce moment-là qu'elle se réveilla. Malcomb était endormi à côté d'elle. Qu'était-il advenu de Jim ? L'alerte était-elle passée ?

Quand, au petit matin, ils se réveillèrent, Malcomb lui annonça que Jim était toujours dans un état critique. Il ne lui laissa pas le temps de poser d'autres questions. Il s'habilla en un clin d'œil et partit pour l'hôpital sans même prendre de petit déjeuner. Une nouvelle fois, elle restait

174

seule dans sa grande maison, avec pour unique compagnie ses doutes et ses peurs.

La voiture de Malcomb n'avait pas encore quitté l'allée qu'elle avait déjà appelé Dallas. A présent, il ne fallait plus tergiverser. Après une douche éclair, elle s'habilla d'un jean et d'un T-shirt bleu ciel, et descendit dans le salon pour l'attendre. Et pendant tout le temps où elle se préparait, elle ne cessa de prier pour que ses soupçons au sujet de Malcomb se révèlent infondés.

La sonnette retentit. Elle sursauta de frayeur. Une bombe ne lui aurait pas fait plus peur. Décidément, son état de nerfs devenait inquiétant. La maison dans laquelle elle avait grandi n'était plus un lieu sûr. Elle s'y sentait comme en terrain miné.

Elle ouvrit la porte en grand. En face d'elle, Janice, l'air plus pincé que jamais. Quel coup de théâtre ! Justement au moment où Dallas allait arriver…

— Si vous voulez me vendre des produits de beauté, sachez que je n'en ai pas besoin, dit tout de suite Nicole en prenant un ton faussement insolent.

— Très drôle ! Et puis, avec une mine et des cernes comme les tiens, moi, je ne cracherais pas sur l'aide des cosmétiques !

— Merci.

— Les cousines, c'est fait pour dire la vérité.

— J'imagine que tu ne t'es pas arrêtée chez moi pour vérifier la tenue de mon maquillage.

— Non. Pour vérifier la tenue de ton état mental et émotionnel.

Elle passa cavalièrement devant Nicole et entra dans la maison.

— Malcomb m'a appelée, reprit-elle. Il a peur que cette histoire au sujet de Karen Tucker ne t'ait mis les nerfs à vif.

Voilà donc quelle était la raison de sa visite.

— Aujourd'hui, lui et moi avons surtout parlé de l'incompétence de la police.

Après avoir déposé son sac dans un fauteuil du salon, Janice se dirigeait vers la cuisine.

— Incompétence de la police ou de Dallas Mitchell ? demanda-t-elle en sortant une tasse à café du placard.

— Que t'a dit Malcomb exactement ?

— Que cet obstiné d'inspecteur t'a bourré le crâne avec des idées à la noix, dit Janice en se servant un café. Ce qui prouve bien qu'on ne la fait pas à ton mari. Il connaît à peine Dallas et, déjà, il ne l'aime pas du tout.

Elle jeta un coup d'œil autour d'elle, sur les plans de travail.

— Eh bien, Nicole, tu n'as pas de croissants à m'offrir ? Dire que j'ai failli m'arrêter pour en acheter !

Janice ouvrit un sac de pain frais coupé, et jeta deux tranches dans le grille-pain. Elle avala une première gorgée de café, fit la moue puis, levant les yeux vers Nicole, maugréa :

— Avec quoi tu as fabriqué cet infâme breuvage ? Des pelures de pomme de terre ?

— Malcomb aime le café bien fort.

— Beurk ! Enfin, l'essentiel, c'est qu'il aime que sa femme soit heureuse et épanouie.

— C'est ce qu'il t'a dit ?

— Non, mais c'est clair. A partir du moment où il s'inquiète pour toi… Et maintenant que je suis là, je comprends pourquoi. Non seulement tu es de mauvaise humeur, mais en plus ça fait deux minutes que tu t'acharnes à plier cette pauvre serviette toute tachée de confiture !

Nicole regarda ses mains. Les serviettes à fleurs qu'elle avait voulu porter au pressing se trouvaient encore sur le comptoir, et elle en avait plié une, pleine de gelée de framboise, comme si elle allait la ranger dans le tiroir.

— D'accord. Je reconnais que je suis un peu tendue, mais ça n'a rien à voir avec Dallas. J'ai rendez-vous dans dix minutes chez le dentiste, et tu sais que j'ai horreur d'y aller. Alors, je vais te donner une serviette en papier dans laquelle tu pourras emporter tes toasts.

Elle déchira deux carrés de papier absorbant et les posa sur le comptoir.

Janice les ignora et, les mains sur les hanches, un œil à demi fermé, interpella Nicole d'un signe de tête.

Jure-moi que tu ne vois pas Dallas Mitchell, Nicole. Ni comme flic, ni comme copain, et encore moins comme amant. Si je suis convaincue, je te laisserai à tes tracasseries dentaires. Pas avant.

Nicole se tourna.

— Je ne vois pas Dallas.

— Qu'est-ce que tu mens mal, ma pauvre ! C'est quand même malheureux… Tu vas risquer de tout gâcher entre toi et Malcomb. Je sais que ce n'est pas tous les jours rose entre vous, mais Malcomb est un bon mari, et il t'aime.

— Malcomb n'est pas un bon mari. Et il ne m'aime pas.

— Qu'est-ce que tu racontes ?

L'aveu lui avait échappé. Elle n'avait pas voulu se lancer dans une telle discussion avec Janice. Pas maintenant.

— Je ne veux pas t'embêter avec ça ce matin, mais Malcomb et moi, nous avons de sérieux problèmes de couple.

— Quel genre de problèmes ?

Les photos de la veille au soir lui revinrent en tête. Ces horribles scènes de dépravation qui décoraient les murs de son bureau.

— Je ne peux rien te dire maintenant. Mais crois-moi, il n'est pas aussi innocent qu'il en a l'air !

Janice s'approcha.

— Est-ce qu'il te trompe ?

— Je n'en suis pas certaine. Je sais seulement qu'il ment et qu'il…

Elle s'arrêta. Les accusations de débauche, de vice et de voyeurisme lui vinrent à l'esprit, mais elle ne pouvait se résoudre à les prononcer. Pas même devant Janice. Les preuves étaient encore insuffisantes.

—Je ne lui fais pas confiance, reprit-elle. Je ne sais pas ce que je vais faire, mais cette situation doit cesser.

— Oh, ma chérie… Pourquoi ne m'en as-tu pas parlé plus tôt ?

Janice lui passa le bras autour de l'épaule.

— Tu peux compter sur moi, Nicole. Je t'aiderai…

La sonnette de l'entrée l'interrompit.

— Tu attends de la visite ?

Nicole soupira, sachant que la gentillesse de Janice à son égard n'allait pas durer. A présent, il était inutile d'éviter l'affrontement.

— J'attends Dallas. Mais ce n'est pas ce que tu crois.

— J'espère. Parce que je crois que tu as perdu la tête !

— Je sais ce que je fais.

— Alors, débarrasse-toi de lui. Dallas n'est pas la solution à tes problèmes.

— Je sais que tu t'en fais pour moi, mais tu ne sais pas ce qui se passe, et, crois-moi, cela vaut mieux pour toi.

Maintenant, laisse-moi te raccompagner à la porte. J'ai un autre visiteur à accueillir.

— Que tu sois vulnérable, soit, je peux le comprendre. Mais que ce type ose venir ici ! Je n'arrive pas à le croire !

— C'est dans le cadre de l'enquête. Rien de plus.

— Tu n'as jamais pu avoir les idées claires en ce qui concerne Dallas. Il va encore te briser le cœur. On dirait que la dernière fois ne t'a pas suffi. Tu n'avais pourtant pas apprécié qu'il te rejette comme un vulgaire mouchoir en papier.

— Je suis assez grande pour veiller sur mon cœur. Par contre, j'ai une faveur à te demander. Ne dis pas à Malcomb que Dallas est passé ici. Je t'expliquerai tout, c'est juré, mais plus tard… Fais-moi confiance, s'il te plaît.

— Oh, mais je te fais confiance ! A Dallas, non. A mon avis, tu vas regretter cette histoire.

C'était possible, après tout. Peut-être faisait-elle une énorme erreur en soupçonnant Malcomb d'être un meurtrier. Mais on lui aurait dit quelques jours auparavant que son mari gardait des photos pornographiques dans son atelier, elle ne l'aurait pas cru. Comme elle ne l'aurait jamais soupçonné de mensonges. Et dix mois avant, elle croyait dur comme fer qu'il était son prince charmant.

A la porte, Dallas et Janice échangèrent un regard, chacun attendant que l'autre entame les hostilités. Finalement, Dallas baissa la garde et s'intéressa à Nicole.

— J'espère que je ne perturbe rien ?

— Non, à part la vie de ma cousine, répliqua Janice d'un ton sec.

— Pas du tout, Dallas, rectifia Nicole en le prenant par le bras pour l'entraîner à l'intérieur. Janice était sur le point de partir

— Oui, je dois aller travailler. Tu ferais bien d'en faire autant, si je ne m'abuse, ajouta Janice en passant devant lui. Tu as bien un tueur à arrêter ?

— Merci de me le rappeler. J'avais presque oublié.

Janice se retourna vers Nicole.

— Souviens-toi de ce que je t'ai dit. Un vulgaire mouchoir en papier !

— Toujours aussi sympa, remarqua Dallas une fois que Nicole eut fermé la porte. Qu'est-ce qu'elle était venue faire chez toi ?

— Malcomb lui a téléphoné pour qu'elle passe voir comment j'allais.

— Pourquoi ?

— Il a vu que j'étais tracassée, et il pense que Janice peut régler ça en quelques mots bienveillants.

— Est-ce que Janice et Malcomb sont amis ?

— En fait non. J'avais même plutôt l'impression que Malcomb méprisait Janice.

— Pourtant, c'est elle qu'il a appelée à la rescousse.

— Je ne comprends plus rien à sa manière d'agir. Il n'est plus du tout l'homme que j'ai épousé. C'est à ce propos que je t'ai appelé.

— J'espérais ton coup de fil. Tu as changé d'avis ? Il y a du nouveau depuis notre conversation ?

— Je…

Elle vit Malcomb, un sourire satisfait aux lèvres, reproduire les tirages, les rendre plus nets, rectifier le cadrage. Sur qui ce genre de photos pouvait-il exercer de la fascination ? Sur des détraqués.

Dallas s'approcha.

— Nicole, tu trembles ! Dis-moi ce qui s'est passé. Il t'a fait mal ? Parce que si c'est ça…

— Non.

180

Une douleur physique aurait été nettement moins cruelle.

— Il ne m'a pas fait mal, mais je crois qu'il pourrait avoir tué Karen Tucker.

Ce fut avec une excitation traversée d'angoisse que Dallas suivit Nicole dans l'escalier qui menait à l'appartement du garage. Il était persuadé que Malcomb et Freddie-les-Mains-Propres ne faisaient qu'un, et il voulait le prouver le plus rapidement possible.

— Il est possible que Malcomb ait dit la vérité au sujet des photos… Selon lui, ce seraient des illustrations pour la conférence de Jim Castle, dit Nicole alors qu'elle glissait la clé dans la serrure. Mais maintenant, j'hésite à croire ce qu'il me dit. Et même si ce sont bien les photos de Jim, cela n'explique pas les Polaroïds et les coupures d'articles dans son tiroir de bureau.

Elle ouvrit la porte. Dallas entra le premier. Un pas, deux pas, et il pila net. Jamais il ne se serait attendu à une réaction aussi bouleversante en revenant dans ce lieu. Il s'était préparé à se sentir mal à l'aise dans une pièce aussi lourdement chargée d'émotions, mais, après toutes ces années, il s'était imaginé pouvoir surmonter aisément le trouble.

Tout en lui se raidit. Et une pulsion incontrôlée s'empara de lui, comme si les restes de leur nuit d'amour étaient encore palpables dans l'atmosphère de la pièce. Il se sentit emporté, malgré lui, dans un tourbillon d'images du passé, toutes plus délicieuses les unes que les autres. Nicole dans ses bras. A la fois rafraîchie par la pluie et enfiévrée par le désir. Ses lèvres, engageantes et douces. Et l'enlacement de leurs corps dans une danse débridée.

Il tenta de se reprendre. Nicole avait besoin de son professionnalisme, pas de ses sentiments nostalgiques.

L'émotion maîtrisée, ce fut la colère qui prit aussitôt le dessus. Il avait rencontré beaucoup de meurtriers dans sa vie, mais il n'en haïssait aucun comme il haïssait Malcomb Lancaster. En dehors même des soupçons qui n'étaient toujours pas vérifiés, il le détestait d'avoir défiguré cet endroit sacré et entraîné Nicole dans un cauchemar.

La voix affolée de Nicole le ramena sur terre.

— Les photos ont disparu !

Elle traversa la pièce et frappa du poing le mur découvert.

— Elles étaient là hier soir ! Partout sur ce mur… De sales photos, révoltantes d'obscénité !

Elle passa le doigt sur le revêtement en papier épais.

— Regarde, les trous des punaises sont encore là. A mon avis, avant ce soir, il les aura fait reboucher.

— Il est peut-être retourné dans son bureau, la nuit dernière.

— Non. Il ne m'a pas quittée de la soirée, et nous sommes allés nous coucher. Il s'est endormi tout de suite. Et puis, à 2 heures, il y a eu un appel de Sara Castle, qui l'a tiré du lit. Je sais qu'il est parti directement, parce que j'ai entendu sa voiture s'éloigner rapidement.

— Et que voulait Sara Castle, en pleine nuit ?

Dallas trouva l'explication fort intéressante. Instinctivement, il voyait là de quoi avancer dans ses suppositions. L'ami de Malcomb avait fait une tentative de suicide. Celui-ci s'était précipité à l'hôpital, mais il était vite rentré chez lui, alors que l'état de Jim était encore critique. Sans doute Malcomb voulait-il en profiter pour mettre de l'ordre dans son atelier ? Mais quel intérêt avait-il à se débarrasser de photos que sa femme avait déjà vues ?

— Malcomb a appelé l'hôpital, ce matin. On lui a dit que Jim allait s'en sortir. Mais qu'il resterait encore sous surveillance quelque temps. Heureusement que Sara s'est réveillée !

— Le suicide, c'est bien pratique. Ça évite bien des choses. Par exemple, de passer un test ADN.

— Pourquoi voudrais-tu que Jim passe un… Attends ! Tu penses que c'est Jim Castle, le père de l'enfant que portait Karen ? Mais Sara est une épouse formidable…

Elle s'interrompit puis, portant les mains au front, elle se laissa tomber dans le fauteuil de Malcomb.

— D'accord. Je l'ai bien méritée, ma médaille d'or de la naïveté féminine.

— Tu n'as pas l'habitude des médecins pervertis. Tant mieux.

— Quoi ? Mais tous ne sont pas comme ça !

— Bien sûr. Mais ce n'est pas parce qu'on porte une blouse blanche qu'on mène une vie de saint. On trouve des détraqués et des pervers dans tous les métiers, toutes les classes sociales.

Dallas se glissa derrière le fauteuil et posa les mains sur les épaules de Nicole. Le contact physique, qui se voulait anodin, eut l'effet d'un électrochoc. Il en eut le souffle coupé, et recula.

— Bon, euh, si on regardait ces Polaroïds ?

Si elle avait remarqué le trouble dans sa voix, elle ne le montra pas.

Elle se baissa vers le tiroir, l'ouvrit en grand et y plongea le regard.

— Je ne suis pas folle, Dallas ! Ce n'est pas mon imagination qui m'a joué des tours, hier soir. Les photos se trouvaient là, dans une boîte en plastique bleu. Il y en avait une bonne douzaine, mettant en scène des femmes différentes. Et à côté, il y avait des coupures d'articles sur la série de meurtres.

183

Tendant le bras de l'autre côté, elle ouvrit d'un coup sec le premier tiroir.

— Et hier soir, ce tiroir était fermé à clé. J'ai essayé de le forcer, mais il a tenu bon.

D'un bond, elle se leva du fauteuil, et gagna la fenêtre. Croisant les bras nerveusement, elle se mit à regarder dans le jardin. Sa respiration hachée trahissait sa frustration. Son regard éteint portait les traces de sa tristesse. Dallas ne supportait pas de la voir dans cet état.

Ignorant toute prudence, il la rejoignit et lui passa les bras autour de la taille. Elle s'appuya contre lui, se laissant presque tomber de faiblesse. Son instinct protecteur se rappela à lui. Quelle que soit la vivacité, l'urgence du désir qu'elle faisait naître en lui, il se contenterait de gestes de réconfort. Elle avait besoin, pour traverser cette crise, d'une épaule. Rien de plus.

— Malcomb est ce qu'il est, Nicole. Tu n'y es pour rien. N'oublie pas ça.

— Mais ça fait mal, tellement mal. Je croyais le connaître, j'étais sûr qu'il m'aimait, qu'il voulait notre bonheur. Devant toute ma famille, tous mes amis, il a prononcé des vœux, les mêmes que les miens. Comment ai-je pu être aussi aveugle ?

— Peut-être qu'il t'aime quand même… Mais il est tellement désaxé qu'il ne sait pas te le montrer.

— Je ne crois pas. Maintenant, quand il est attentionné envers moi, j'ai l'impression de me faire manipuler. C'est comme un jeu. Malcomb, lui, établit les règles, éventuellement les change, et moi je ne fais que subir sans rien comprendre.

— Il y a bien dû y avoir un moment où les choses étaient différentes entre vous ? Autrement, tu ne l'aurais pas épousé. Vous vous êtes rencontrés comment ?

184

Elle se dégagea des bras de Dallas, fit quelques pas, et s'appuya contre le bureau.

— Il faisait partie de l'équipe de médecins qui se sont occupés de mon père, quand celui-ci a eu sa crise cardiaque. Puis, quelques mois après, alors que j'avais quitté mon travail à Washington pour revenir m'installer à Shreveport, je l'ai rencontré au cours d'une soirée de charité. Nous collections des fonds pour le nouveau département pédiatrique de l'hôpital. Je l'ai trouvé sympa, c'est tout. Le lendemain, il m'a fait envoyer des fleurs. Et ensuite, il a appelé, une fois, deux fois, trois fois, jusqu'à ce que j'accepte de dîner en tête à tête avec lui.

— Il est persévérant.

— Oui, et j'en étais flattée. De plus, je venais d'avoir une année difficile. La mort de mon père, les changements que j'avais dû faire pour me rapprocher de Ronnie, et des quantités de tracas juridiques... J'étais particulièrement vulnérable.

— Malcomb en a profité.

— Bien sûr. Et à l'époque, le jeu, pour lui, consistait à convaincre Nicole Dalton de l'épouser.

Elle souleva ses cheveux, et ils retombèrent sur ses épaules dans un langoureux mouvement de vagues. Il n'y avait certainement pas une volonté de séduire dans ce geste, mais l'effet produit sur Dallas renforça sa tension. Il aurait tellement voulu la serrer contre lui, de toutes ses forces...

— Tu l'aimes ?

Comment avait-il pu lui poser cette question, alors qu'il n'était pas sûr de supporter la réponse ? Elle avait les yeux rivés dans le vague, et il vit des larmes se dessiner au bord de ses paupières.

— Je ne crois pas l'avoir jamais aimé. Je sais que c'est horrible à dire, mais c'est la vérité. J'aimais l'idée d'être amoureuse, d'avoir quelqu'un sur qui compter, un compagnon de vie... Mais comment aurais-je pu l'aimer, alors que je n'ai jamais eu en face de moi son vrai visage ? Et puis, ça n'a jamais été aussi fort que...

Elle s'arrêta. Peut-être n'arrivait-elle plus à maîtriser sa voix ? Elle leva sur lui des yeux brillants.

— Aussi fort que quoi, Nicole ?

Elle secoua la tête.

— Ça n'a plus d'importance. Il faut juste que je m'en sorte, c'est tout.

— Et je t'aiderai. Tu peux compter sur moi.

— Alors, que faisons-nous, maintenant ?

— Toi, tu vas quitter la ville et te trouver un petit paradis en bord de plage, sous les cocotiers, où tu pourras te reposer, sans crainte d'être rattrapée par cette histoire de meurtres. Et moi, avec mes collègues, je vais continuer l'enquête.

— Impossible.

— Comment ça, impossible ? C'est toi qui m'as dit que Malcomb pouvait très bien être le tueur recherché, non ?

— On ne met pas les gens en prison sans preuves.

— Les preuves, je m'en occupe. Ça prendra sans doute un peu de temps.

— Pas si tu as quelqu'un pour t'aider. Quelqu'un de bien placé. Dis-moi ce que je dois chercher. Quels objets, quels papiers...

— Tu n'y penses pas ! Hors de question de t'impliquer ! Tu n'es pas policier, tu n'as pas d'arme. Qu'est-ce que tu essayes de prouver ?

— Je ne veux rien prouver du tout. Je veux que ça cesse. Si Malcomb est un dangereux criminel, je ne peux pas

186

décemment m'envoler à l'autre bout du monde pour me mettre à l'abri, en attendant qu'il tue quelqu'un d'autre. D'abord, les tueurs en série s'en prennent rarement à leur femme.

— Ah vraiment ? Et comment crois-tu qu'il réagira, s'il découvre que tu cherches à le confondre ?

— A la seconde où je me sentirai en danger, je quitterai la maison.

— Les pieds devant ?

Bon sang ! Pourquoi avait-il dit ça ? A présent, il voyait Nicole évacuée sur un brancard, une couverture lui couvrant le visage. C'était horrible !

Son téléphone portable sonna à ce moment.

— Inspecteur Mitchell ? fit une sourde voix masculine.

— Oui. Qui est à l'appareil ?

— Jim Castle. Vous m'aviez donné votre carte. J'ai besoin de vous parler. C'est très important.

— Vous êtes toujours à l'hôpital ?

— Oui, chambre 512. Ne demandez à personne l'autorisation de me voir. On refuserait. Venez me rejoindre directement dans la chambre.

— Je peux savoir de quoi il s'agit ?

— J'ai un aveu à faire.

Dallas sentit son pouls accélérer.

— Est-ce en rapport avec la grossesse de Karen Tucker ?

— Oui. Et de son assassinat.

— J'arrive de ce pas.

Mais la communication avait déjà été coupée.

*
**

L'ascenseur se faisait terriblement attendre.

— On serait déjà au cinquième si on avait pris les escaliers, ragea Corky, tout en s'acharnant sur le bouton d'appel.

Dallas avait appelé son coéquipier pour lui dire de le rejoindre de toute urgence à l'hôpital, dans le hall d'entrée.

Finalement, la sonnerie d'étage retentit, et la porte s'ouvrit. Ils s'écartèrent pour laisser sortir les occupants de la cabine, deux blouses blanches et deux retraités en salopette de jardinier, dégageant, eux, une forte odeur d'ail. Un sacré mélange, songea Dallas, contenant un haut-le-cœur alors qu'il entrait dans l'ascenseur.

— Il ne m'était pas venu à l'esprit que Jim Castle pouvait être notre Freddie-les-Mains-Propres, dit Corky une fois les portes fermées et la montée amorcée. Avec ses airs de lavette !

— Il ne faut pas avoir beaucoup de courage pour tuer une femme sans défense. Et puis, attends, il n'a encore rien avoué…

— Mais il a tenté de se suicider. Ce n'est pas un geste d'homme innocent. Et d'après ce qu'il t'a dit, ça sent l'affaire ficelée. Finalement, on n'aura pas eu tant de mal que ça.

Justement. Tout semblait bien facile, tout d'un coup. C'était pourquoi Dallas préféra ne pas se réjouir.

Il eut un mauvais pressentiment à l'instant même où ils débouchèrent au cinquième étage. Dans les couloirs, l'expression sur les visages du personnel était anormalement grave. Et le silence anormalement pesant.

Dallas fit comme Jim Castle avait dit. Il se dirigea sans hésitation vers la chambre 512. La porte était entrouverte. Il allait frapper mais se ravisa. Quelqu'un pleurait à l'intérieur. Il poussa légèrement la porte pour jeter un coup d'œil. Le lit était vide. Sara Castle, assise dans un fauteuil voisin, sanglotait. Devant elle, la tenant par la main, Malcomb Lancaster tentait de la calmer.

Dallas recula.

— Adieu les aveux, murmura Corky. Si seulement on était arrivés plus tôt ! On aurait su ce qu'il voulait cracher !

Plus jamais Jim Castle ne s'exprimerait.

Malcomb composa le numéro du détective privé qu'il avait engagé pour surveiller sa maison. C'était un homme dont il avait déjà loué les services. Un homme de confiance qu'il payait largement. Aujourd'hui, plus que jamais, Malcomb avait besoin de toutes les satisfactions que son mariage avec Nicole pouvait lui apporter. Il ne tolérerait pas qu'elle continue à recevoir cette vermine d'inspecteur. D'ailleurs, qui pouvait savoir ce qu'ils faisaient ensemble, une fois la porte fermée ?

— On m'a dit que vous aviez appelé, dit Malcomb quand Harry Burger décrocha. Vous avez du nouveau ?

— Vous aviez raison. Un homme répondant trait pour trait au portrait que vous m'avez fait s'est pointé ce matin chez vous. Il y avait une femme, aussi. Mais elle est partie quand il est arrivé.

Janice, certainement. Elle lui avait dit qu'elle était passée voir Nicole, comme il le lui avait demandé. Mais elle n'avait pas mentionné la visite de Dallas. Alors, comme ça, les deux cousines se jouaient de lui… Elles finiraient par apprendre de quel bois il se chauffait.

Harry continua à lui rapporter les détails de la visite de Dallas. L'heure à laquelle il était arrivé et reparti. Des détails sans importance. Malcomb avait compris. Nicole n'était qu'une traînée, comme les autres.

Et comme les autres, elle méritait de mourir.

13.

Corky enfournait de gros morceaux de pancakes ruisselants du sirop d'érable qui s'étalait en nappe dans son assiette.

— Finalement, la jolie petite profileuse était à côté de la plaque, dit-il en avalant un morceau. Elle avait trouvé que Freddie-les-Mains-Propres travaillait dans le domaine médical, mais pour le reste elle s'était bien trompée. On ne peut pas parler de Jim Castle comme d'un subtil manipulateur. Encore moins un séducteur. Il était laid comme un crapaud.

— Eh, un peu de respect pour les morts.

— Quoi ? Un peu de respect pour un taré qui torturait et tuait des femmes pour le plaisir ?

Vingt-quatre heures s'étaient écoulées depuis leur visite à la chambre 512, quand ils avaient vu Malcomb tenter de réconforter la veuve de Jim Castle. Aucune déclaration n'avait encore été faite aux médias, mais Corky, comme le commissaire Cooper, était persuadé que le tueur en série qu'ils avaient traqué reposait désormais dans une pièce des pompes funèbres locales.

— Moi, je ne suis pas convaincu que Jim ait tué qui que ce soit, dit Dallas, exprimant les doutes qu'il avait en tête. Et certainement pas les trois femmes avant Karen.

190

— Qu'est-ce que tu veux ? Des photos ? Il t'a quasiment tout avoué au téléphone.

— Mais il ne l'a pas fait.

— Non, il est mort avant. On aura le résultat de l'analyse d'ADN cet après-midi. Je te parie ce que tu veux qu'il est bien le père de l'enfant que Karen n'a jamais mis au monde.

— Et même si tu gagnes, ça ne prouvera pas le meurtre.

— Pour moi, si. De toute façon, on ne fait pas de procès aux morts. Alors, pas la peine d'accumuler les preuves pour convaincre les jurés.

— Et qu'est-ce que tu fais des photos porno que Malcomb planque chez lui ?

— Reconnais, mon vieux, que ta copine a épousé un pervers sexuel. Point final. Si elle est intelligente, elle demandera le divorce. Si tu es tuté, tu reprendras ton histoire avec elle, là où tu l'as laissée il y a quelques années. Dans l'hypothèse où tu es toujours accro.

— Avec toi, tout est tellement simple, ironisa Dallas.

— Et toi, tu cherches toujours à compliquer les choses. Pour une raison qui risque de nous échapper encore longtemps, Jim Castle réussissait à trouver des jeunes femmes jolies et prêtes à le suivre. Ensuite, parce qu'il était aussi fou que ses patients, il torturait ses proies et finissait par les tuer.

— Alors, que s'est-il passé avec Karen ? Il l'aurait gardée sous le coude assez longtemps pour qu'elle se trouve enceinte… Et même une fois au courant, pour l'enfant, il aurait d'abord essayé de la quitter avant de se décider. Il ne l'aurait tuée que lorsqu'il aurait compris qu'elle ne le lâcherait pas ? Ça ne colle pas du tout avec le profil de tueur en série !

— Peut-être qu'il avait un petit penchant pour les infirmières. Et puis, il se sentait sans doute aimé par Karen. Ce qui avait dû le surprendre. C'est quand cette histoire a commencé par être trop encombrante pour lui qu'il a décidé de se débarrasser d'elle comme il l'avait fait avec les autres.

— Enfin, presque, rectifia Dallas qui ressassait les détails dans sa tête. Pas de torture. Un nettoyage bâclé. Et aucun échantillon d'ADN pour brouiller les pistes.

— Il avait peut-être eu une mauvaise journée.

— Ça fait beaucoup de peut-être...

— Moi, tout ce qui m'importe, c'est que la série de meurtres s'arrête là. Tu vois bien comment ça se passe, avec les dealers. Quand il y en a un qui se fait abattre, c'est là qu'on arrive à lui remettre sur le dos les crimes dont on le soupçonnait. Mais avant, impossible. Personne n'a envie de risquer sa peau pour une information de trop.

— Oui, mais il y a ce club photo dont Penny Washington m'a parlé.

— On a essayé de trouver des traces de l'existence de ce club. Rien. Et tu as dit toi-même que Penny jouait la comédie devant Nicole.

— Mais il y avait peut-être du vrai dans ce qu'elle m'a dit. Toi, tu crois que cette affaire est bouclée. Moi, au contraire, je pense que rien n'est résolu.

— Alors, tu seras certainement content d'apprendre ce que j'ai trouvé ce matin.

— De quoi tu parles ?

— Tu te souviens que Malcomb Lancaster clame haut et fort que ses parents sont morts...

— Tués dans un accident de voiture à Little Rock, Arkansas. Le père était concessionnaire d'une marque de voitures, là-bas.

— Eh bien, c'est faux. Jackson et Mildred Lancaster se portent à merveille, merci pour eux. Ils habitent dans l'Arkansas, mais à Monticello où le père n'est pas concessionnaire mais réparateur de voitures.

Dallas n'en croyait pas ses oreilles.

— Comment as-tu appris ça ?

— En jouant les inspecteurs pendant que tu bavardais avec le chef ce matin.

— Le mieux, c'est d'aller voir ce qui se passe à Monticello.

— Pourquoi ? Si Malcomb prétend qu'ils sont morts, c'est qu'il a coupé les ponts avec eux. Que veux-tu faire là-bas ?

— Jouer les inspecteurs à mon tour.

Dallas finit rapidement son omelette, avala le fond de sa tasse de café, et sortit son portefeuille de sa poche. Il s'apprêtait à payer l'addition quand la radio de police restée allumée annonça la mauvaise nouvelle.

Une nouvelle femme avait été retrouvée morte.

La scène du crime était tout aussi horrible que celles des autres meurtres. La jeune femme avait été tuée dans la nuit, entre 3 et 8 heures du matin, selon le premier avis du médecin légiste, qui serait en mesure de donner une estimation plus précise après l'autopsie. Comme les trois premières, elle avait d'abord été torturée, avant d'avoir la carotide tranchée. Son corps avait été soigneusement nettoyé, comme si elle avait été immergée tout entière dans une baignoire d'eau savonneuse.

— On dirait une pose pour un magazine porno, remarqua l'agent qui s'occupait de boucler le périmètre de sécurité. Une main derrière la tête, l'autre coincée entre ses cuisses.

Une pose obscène et avilissante... Cela ressemblait aux photos en noir et blanc que Nicole avait vues dans le bureau de Malcomb. Des clichés peut-être pris par le chirurgien lui-même.

Dallas se démena comme un fou sur le lieu du crime pour trouver des indices. Si, comme son instinct le lui assurait, c'était bien Malcomb qui avait tué cette femme...

Une douleur costale lui coupa le souffle. Une impression de barbelé dans le thorax. Malcomb, innocent ou coupable, rentrerait chez lui ce soir. Chez lui, auprès de Nicole. Il fallait la faire partir de chez elle au plus tôt. Et cette fois, Dallas ne lui laisserait pas le choix. Il n'hésiterait pas à utiliser des manières brutales. Si nécessaire, il la sortirait de là en la portant sur son dos.

Il mettrait Nicole à l'abri. Et puis, il s'en irait mettre la main sur le tueur.

N'importe quel bon policier en ferait autant. Avec la peur au ventre en moins. Car ce que Nicole représentait pour lui se situait à mille lieues du professionnel.

Nicole marchait le long de la rivière qui bordait le parking. Elle écoutait Dallas lui annoncer la dernière découverte macabre du jour. Et cette fois, impossible d'accuser Jim Castle. Une peur sourde, oppressante l'envahit, plus forte que jamais. Les autres femmes de la ville devaient ressentir la même chose. A ceci près qu'elles n'étaient pas mariées avec le suspect principal.

— Est-ce que Malcomb était à la maison, hier soir ? demanda Dallas.

— En partie. Il a été appelé à l'hôpital à 2 heures du matin. Une urgence.

— Il n'opère quand même pas en pleine nuit, si ?

— Une complication sur l'un des patients qu'il avait opéré hier. Il aime se déplacer lui-même, dans ce cas.

— Il est revenu après ?

— Oui, à l'aube.

— Il est donc possible qu'il ait commis ce meurtre.

Dallas donna un coup de pied dans un caillou qui partit rouler sur le chemin.

— Tu dois t'éloigner de lui.

Nicole émit un soupir d'impatience.

— On ne va pas revenir là-dessus.

— Nicole, j'ai vu de nouveau ce que le tueur était capable de faire. Ça m'a suffi. Le type qu'on recherche est un dangereux psychopathe qui ne laisse aucune chance à ses victimes.

— Tous ceux qui fréquentent Malcomb penseraient que tu es dingue d'imaginer de telles horreurs sur lui. Mes amis à moi diraient que tu as perdu la tête ! Janice te traiterait de fou !

— De la part de Janice, c'est presque un progrès. Mais moi, je me fiche bien de savoir ce que les autres pensent. Je veux te savoir en lieu sûr.

— Parce que tu crois que j'ai envie de rester ? Tu crois que ça ne me fait rien d'être assise à table en face de lui, alors que j'ai toutes ces affreuses photos qui défilent dans ma tête ? Quand il me touche ou m'embrasse, j'en ai la nausée…

— Alors, sois raisonnable.

— Raisonnable ? Cinq femmes sont mortes. Mon mari est peut-être l'assassin. Tu crois que ça donne envie d'être raisonnable ?

Elle s'emballait, parlant trop fort, claquant des dents et tremblant de tout son corps. Dallas la prit par le bras et l'entraîna, en dehors du chemin, sur un banc qui faisait

195

face à la rivière. Il s'assit à côté d'elle, si près que leurs jambes se touchaient.

— Tu dois penser à te protéger.

— Pourquoi ? Si Malcomb est réellement l'assassin, il me semble que c'est mon devoir de trouver un moyen de le coincer. A moins que tu ne me garantisses qu'il est innocent, je me sens responsable de la vie des milliers de femmes qui habitent cette ville.

— Je ne peux rien te garantir.

— Alors, je reste.

— Je ne te laisserai pas faire.

— On verra.

Dallas émit un grognement sourd.

— Que t'a dit Malcomb au sujet de ses parents ? demanda-t-il.

— Pas grand-chose. En tant que fils unique, il était très proche d'eux. Et puis, ils se sont tués dans un accident de voiture après son entrée en fac de médecine. Je suis presque soulagée qu'ils soient morts. Imagine leur douleur, si leur fils s'avérait coupable…

— Ils ne sont pas morts. Ils sont tout ce qu'il y a de plus vivants, et ils habitent Monticello, une petite ville de l'Arkansas.

Elle souffla, incapable de retenir le dépit mêlé de dégoût qui montait en elle.

— Tu… tu plaisantes ?

— Je n'en ai pas le cœur.

Le choc de la nouvelle lui paralysa les jambes. Elle n'arrivait même plus à être en colère.

— Encore de nouveaux secrets, de nouveaux mensonges ! s'exclama-t-elle. Est-ce que ça va s'arrêter un jour ?

Elle écouta Dallas lui parler des parents de Malcomb. Il n'était même plus nécessaire de compter les mensonges.

Il y en avait eu tellement… Elle ôta l'anneau d'or qu'elle portait à l'annulaire, et le jeta de toutes ses forces devant elle. Il retomba dans la rivière, formant des ronds dans le bleu de la surface.

— Où vas-tu te cacher, pendant que j'irai à Monticello ?

— Pourquoi aller à Monticello ? Qu'est-ce que les parents de Malcomb sauront sur les agissements de leur fils ?

— Rien, certainement. Mais plus j'en apprendrai à son sujet, plus je pourrai comprendre ce qui se passe dans sa tête.

Elle imagina une seconde à quoi pouvaient ressembler les parents de Malcomb. Que connaissaient-ils de leur fils, aujourd'hui ? Savaient-ils qu'il était chirurgien ? Qu'il avait un comportement bizarre ?

— Je viens avec toi à Monticello.

— Non. C'est une affaire de police. Et puis, la situation est déjà difficile pour toi. Inutile d'en rajouter.

— Ecoute, Dallas, je crois qu'ils seront plus enclins à parler à leur belle-fille en titre qu'à un policier qui vient d'un autre Etat. On peut toujours prétendre que je passais dans la région pour mon travail, et que j'ai souhaité les rencontrer.

— Je serai quoi, moi ? Le chauffeur ?

— Non, mon associé.

— Ça ne tient pas la route.

— Pourquoi pas ? Et puis, tu veux que je quitte ma maison… Voilà une bonne raison d'aller à Monticello !

— Que diras-tu à Malcomb ?

— Que je pars voir un ami ou un parent. Je trouverai une bonne raison.

Mais si jamais Malcomb apprenait ce qu'elle partait faire, et surtout en compagnie de qui, il entrerait dans une colère dévastatrice. Elle le savait. Et elle pouvait facilement l'imaginer, le visage convulsé, le regard enragé.

Seulement, elle s'en moquait, à présent.

— Qu'en dis-tu ?

— Que je suis sur le point de faire une grosse erreur.

— Alors, quand est-ce que nous partons ?

— J'ai deux ou trois choses à régler, d'abord. Je serai prêt à partir en fin d'après-midi.

— A combien de kilomètres se trouve Monticello ?

— A trois cent cinquante kilomètres.

— Nous arriverons trop tard pour rendre visite aux Lancaster, non ?

— J'avais l'intention de prendre une chambre, arrivé là-bas, et de me présenter chez eux tôt demain matin.

Nicole le regarda.

— On prendra chacun une chambre, ajouta-t-il.

— Tu lis dans mes pensées ?

— Là, c'était clair.

— Détrompe-toi. Ce n'est pas que j'aie peur de toi, ou que je n'aimerais pas dormir dans tes bras et te...

— Faire l'amour ?

— Tu vois, tu lis dans mes pensées.

— Nicole, tu es mariée. C'est quelque chose que je respecte. Même si j'ai le plus grand mépris pour ton mari.

— Ce n'est pas ça... Mon mariage n'a plus aucune valeur, maintenant. Tous ces mensonges, ces tromperies auraient largement raison de mes scrupules. C'est juste qu'en ce moment je suis trop fragile pour vouloir recommencer une relation. Je ne ferais que tout gâcher.

Dallas préféra ne pas répondre.

— A quelle heure dois-je être prête ?

— J'aimerais éviter les embouteillages de la sortie des bureaux. Est-ce que ça va, 16 h 30 ?

16 h 30, juste avant que Malcomb ne rentre du travail. Tant mieux. Elle le préviendrait par téléphone. Elle prétendrait qu'elle partait rendre visite à une amie. A son tour de mentir.

Ils restèrent encore un instant sur le banc, sans se parler, comme si l'un et l'autre reculaient le moment de retrouver l'univers qui attendait. Nicole se demanda ce qui se passerait entre eux, une fois cette affaire terminée. Est-ce que Dallas disparaîtrait de sa vie, comme avant ? Sans explication ni excuses ?

Tout était allé très vite. Le test ADN avait prouvé que Jim Castle était bien le père de l'enfant que Karen Tucker portait. De plus, les prélèvements du dernier meurtre avaient montré, comme pour les trois premiers, que l'assassin s'était donné le mal d'éparpiller, sur le corps de la victime et tout autour, des échantillons de cheveux, de sang, de salive, provenant d'une douzaine de donneurs différents. Et plus important : Dallas avait découvert que Penny Washington avait donné de chez elle un rapide coup de téléphone chez les Lancaster, la veille du meurtre de Karen, à l'heure où Nicole lui avait dit avoir reçu un appel anonyme. Mais personne ne savait où Penny se trouvait aujourd'hui. Elle ne s'était pas rendue à son travail. Elle n'était pas chez elle, pas plus que son fils.

C'était avec ces nouvelles données en tête que Dallas roulait en direction de chez Mathilda, où il devait passer prendre Nicole avant de filer pour Monticello. Une idée de Nicole. Mathilda avait accepté que Nicole laisse sa voiture, à l'abri des regards, dans son garage. Quand Malcomb comprendrait qu'il passerait la nuit seul, il appellerait certainement Janice et la harcèlerait jusqu'à ce qu'elle dise exactement ce qu'il voulait entendre : « Oui, Nicole est partie avec Dallas. » Mais il ne pourrait pas harceler Mathilda. Il ne connaissait pas son existence.

Dallas ne pouvait s'empêcher de penser à Nicole, indépendamment de l'affaire qui les réunissait. Après neuf ans passés sans la voir, il l'avait trouvée plus mûre, moins impulsive. La fille du sénateur qu'il avait connue passionnée était devenue une jeune femme plus réfléchie, mais surtout très autonome. Elle avait conservé en tout point le charme qui le séduisait et le fascinait tant.

Mais pour l'heure, il devait se concentrer sur son rôle d'ami. Jusqu'à présent, le temps qu'ils avaient passé ensemble avait été consacré aux meurtres et aux soupçons qui pesaient sur Malcomb. Dallas avait l'intention de changer cela. Il voulait qu'elle parle d'elle, de son passé, ainsi que de son avenir, et plus particulièrement du projet qu'elle avait de devenir éducatrice.

Elle avait besoin de souffler. Et lui aussi. Depuis le temps qu'il n'avait pas dormi une nuit complète... Il en avait oublié ce que c'était que parler, manger, marcher dans la rue sans penser sans arrêt à Freddie-les-Mains-Propres.

Dallas se gara devant la maison de Mathilda, une bâtisse de bois blanc dans un quartier d'inspiration cajun. Nicole et Mathilda discutaient sous la véranda, assises sur la banquette à bascule. Nicole se leva quand elle le vit. Après avoir embrassé son amie, elle descendit les marches du perron. Le vent soufflait dans ses cheveux, les soulevant comme des rubans de soie. Sa démarche était souple, voluptueusement féminine. Assez pour capter le regard d'un homme et le rendre fou, tout en le maintenant dans les limites du respect. Sa chemise, jaune bouton-d'or, la moulait au bon endroit, mettant en évidence une jolie poitrine bien dessinée.

Et voilà ! le premier dérapage. Le voyage s'annonçait d'autant plus long qu'il aurait à garder ses distances, à contrôler ses pulsions. La tâche serait ardue.

Mais il avait connu pire, lorsque, neuf ans plus tôt, il s'était juré de ne jamais la revoir.

Malcomb était tranquillement installé dans le fauteuil de son atelier. Eclairage tamisé. Chaleur confortable. Verre de whisky glacé en main. Il contemplait devant lui, étalés sur son bureau, ses derniers trophées. Il y en avait quatre. Des photos en noir et blanc, agrandies, de manière qu'il puisse savourer chaque détail. Bientôt, il faudrait qu'il mette fin à ses activités. Ou du moins qu'il les interrompe. Car même un mauvais flic pouvait finir par le coincer.

Pauvres inspecteurs, avec leur petit test ADN, et leur analyse dépassée des lieux de crime ! Il les imaginait, à butiner comme des myopes pour récolter tous les échantillons qu'il avait dispersés. Il lui était tellement simple de récolter au bloc opératoire des spécimens d'ADN... Il suffisait de se baisser pour les ramasser ! Et puis, il avait d'autres ressources. A l'hôpital, avec une blouse blanche, on pouvait tout se permettre, tout demander.

D'habitude, Malcomb se moquait pas mal de la police. Mais celui qui avait envahi peu à peu son existence et qui allait coucher avec sa femme ce soir, celui-là l'exaspérait au plus haut degré. Comment Nicole pouvait-elle s'imaginer qu'il ne savait pas qu'elle lui mentait ? Elle le croyait stupide ? Il la tuerait, comme les autres. A la différence près qu'il s'arrangerait pour qu'on ne retrouve jamais son corps.

Elle disparaîtrait. Et Ronnie avec elle. Et tout lui appartiendrait. La maison. L'argent de Dalton. Et le pouvoir.

Une fois seul, peut-être qu'il n'éprouverait plus le besoin de tuer. Qu'il oublierait tout. Il ne resterait que le Dr Lancaster, sa carrière, ses réussites. Il aurait enfin atteint le sommet.

A l'approche de Ruston, les premières gouttes de pluie se mirent à tomber sur le pare-brise. En quelques minutes, l'averse se transforma en cataracte. Les essuie-glaces n'arrivaient pas à chasser les paquets d'eau qui s'abattaient sur la voiture. En les doublant, une camionnette roula dans un trou et partit dans un violent tête-à-queue. Dallas dut faire un écart pour éviter de la heurter.

— Qu'est-ce que tu dirais d'un café ? demanda-t-il. Mieux vaut s'arrêter dans ces conditions et attendre que la pluie se calme un peu.

Nicole jeta un coup d'œil par la fenêtre.

— Comment va-t-on faire pour repérer un café ouvert ?

— Il y avait une pancarte, tout à l'heure, au bord de la route. On devrait bientôt passer à côté d'un motel-restaurant.

— On va se faire tremper en sortant de la voiture. J'espère que tu as un grand parapluie !

— Pas même un petit ! J'en ai eu, bien sûr, des tas. Mais ils disparaissent. J'en suis venu à la conclusion que c'était ma voiture qui les mangeait.

— Cette conclusion, tu l'as faite après enquête ?

— On dirait que tu ne me crois pas. Les voitures sont plus vicieuses qu'elles en ont l'air. Je le sais.

— Je m'en remets à toi. Entièrement.

202

La réplique réveilla deux ou trois pensées malicieuses en lui, et pendant quelques secondes il laissa son imagination divaguer. Mais il se retint de poursuivre la discussion, trop content d'avoir pu constater que Nicole se sentait assez à l'aise pour le taquiner. Il ne voulait pas la choquer en allant plus loin dans les suggestions espiègles.

Pourtant, il avait du mal à mettre de côté leur histoire passée, ce soir. Probablement parce qu'elle était assise à quelques centimètres de lui. Elle sentait si bon... Il n'y connaissait rien en parfum, mais celui qu'elle portait lui plaisait beaucoup.

Il se retrouvait sous l'emprise de l'attirance qui l'avait pris de court la première fois qu'il l'avait rencontrée. A cette époque, elle allait et venait, illuminant le QG de son père de son charme dont elle savait subtilement jouer. Mais elle était déjà trop bien pour lui. Et trop insouciante pour s'en apercevoir.

Dallas avait préféré fuir, neuf ans plus tôt. Aujourd'hui, il n'avait qu'une idée en tête, ou plutôt deux : la protéger et lui faire l'amour. Il n'était pas sûr que les deux soient compatibles.

Il s'accrochait au volant, les yeux fixés sur la route, l'esprit focalisé sur Nicole. Tout d'un coup, la voiture se mit à se déplacer latéralement de manière dangereuse.

Se redressant, Nicole lui posa la main sur le bras.

— Que se passe-t-il ?

Dallas se racla la gorge.

— Je ne vais pas te faire le coup de la panne, mais malheureusement, je crois que nous avons crevé.

— Oh, non !

— Ne t'inquiète pas, j'ai tout ce qu'il faut dans le coffre.

Il ralentit la voiture, alluma les feux de détresse, alors qu'apparaissait à leur droite un chemin de terre, où il s'engagea.

— On n'y voit rien du tout, dit Nicole alors qu'il venait de couper le moteur. Comment vas-tu faire pour changer le pneu ?

— Je n'ai pas de parapluie, mais j'ai une lampe torche.

— Je peux t'aider ?

— Merci, mais autant éviter qu'on se prenne une saucée, tous les deux. Garde la place bien chaude, dit-il avant de filer dehors.

Quand il eut sorti du coffre le pneu de rechange et les outils nécessaires, ses vêtements étaient déjà détrempés et il avait le visage ruisselant. Inutile de se presser.

Il alluma la lampe torche, soulagé de voir qu'elle fonctionnait correctement. Il s'agenouilla, se saisit de la clé coudée pour dégager l'enjoliveur. En quelques tours rapides, deux boulons cédèrent. Mais la lampe torche tomba dans la boue. Il jura et remit la lampe en place.

Quelques secondes plus tard, il n'y eut plus de lumière du tout. Cette fois, la lampe était noyée dans la boue.

— Je vais te la tenir.

Dallas leva les yeux, étonné de voir Nicole debout à côté de lui dans la pluie battante. Des filets liquides glissaient sur son visage, et ses vêtements, déjà imbibés, lui collaient au corps, soulignant ses formes harmonieuses. Elle était trempée des pieds à la tête, exactement comme la fois où…

Il en était estomaqué. Si belle, si sensuelle. Il se retrouvait propulsé hors du temps. Il avait oublié le pneu, la pluie, l'enquête. Il ne restait plus que Nicole.

Il ne put résister à l'attirer dans ses bras, et à l'embrasser violemment sur la bouche. Le passé, le présent, le futur... Tout se confondait et s'emmêlait avec la pluie, la passion, et sa vie tout entière semblait se résumer à ce seul moment divin.

14.

Nicole capitula. Comment refouler un désir si profond, une envie si impérative ? Dallas, avec ses baisers à couper le souffle, l'envoûtait, et son corps n'était plus qu'un brasier.

Toute la terreur qui l'avait minée ces derniers jours, consumant son moral et son énergie, s'envolait en fumée, en un instant de passion torride. Nicole se sentait sous le coup d'une urgence qu'elle avait crue enfouie pour toujours en elle.

Les mains de Dallas étaient partout, dans ses cheveux, sur ses seins, sur ses hanches, cherchant désespérément à rassasier leur faim. Il la couvrait de baisers sur tout le visage, puis dans le cou, attisant chaque grain de peau qu'il effleurait. Enfin, ses paumes se glissèrent sur sa taille, suivant la cambrure de ses reins, puis descendant plus bas. Il la plaqua contre lui de toutes ses forces, cherchant à se fondre en elle, et elle, avec autant d'énergie, cherchait à marquer son empreinte sur son désir.

Trouvant appui contre la voiture, elle s'accrocha à lui par les épaules et s'empara de sa bouche, buvant la pluie qu'il avait sur les lèvres. Alors qu'il s'était mis à explorer d'une main son intimité, de l'autre, il dégrafa sa ceinture. Elle n'en pouvait plus de désir. Il fallait qu'elle le touche. Sa main se glissa dans l'ouverture de son pantalon, et elle posa ses doigts sur sa peau tendue qu'elle caressa fébrilement.

Elle sentit qu'il descendait son vêtement sur ses cuisses. Ils étaient tous deux sous l'emprise d'un désir insoutenable, incontrôlable.

Elle avait besoin de lui, de sa passion, de son audace ! Lui seul pouvait lui offrir un renouveau, quand tout autour d'elle s'effondrait.

Mais ce n'était qu'une illusion…

Avec un cri, elle le repoussa soudain en arrière.

— Non, Dallas. Je ne peux pas.

Il chancela. Elle ne voyait ni ses yeux ni l'expression sur son visage, mais elle comprit qu'elle l'avait atrocement blessé.

Il donna un grand coup de poing contre la portière fermée.

— Bon sang, Nicole ! Comment est-ce que tu peux t'arrêter comme ça ?

— Excuse-moi. Je ne voulais pas… Mais c'est plus fort que moi, je ne peux pas.

— C'est un peu dur à encaisser…

Il lui tourna le dos.

— J'ai besoin de quelques minutes pour me reprendre, dit-il d'une voix rauque et basse.

Elle lui posa la main sur le bras.

— J'ai très envie de toi, Dallas. Je te désire, mais pas comme ça.

— Je sais, dit-il en pivotant face à elle. La bague a beau être au fond de la rivière, tu es encore mariée.

— Oui, et tant que l'implication de Malcomb dans ces meurtres en série ne sera pas élucidée, je ne me sens pas libre. Tu comprends ?

— J'essaye.

Elle le regarda reprendre le contrôle de lui-même.

— On ferait bien de se mettre à l'abri, non ? suggéra-t-elle.

— Je dois encore changer le pneu.

— J'avais complètement oublié !

Elle repoussa une mèche de cheveux mouillés qui lui barrait le front. Elle avait tant envie de le toucher, de palper sa peau…

— Promets-moi une chose, Dallas.

— Quoi ?

— Quand cette affaire sera finie, je voudrais que tu me laisses une chance de me faire pardonner pour ce soir.

Il lui effleura les lèvres du bout des doigts.

— Je n'ai pas l'intention de partir, Nicole. Pas cette fois. Je resterai avec toi jusqu'à ce que tu me dises que tu ne veux plus de moi dans ta vie.

Elle sentit son cœur gonfler d'exaltation.

— Tu ne me feras pas le coup du mouchoir usagé ?

— Hein ?

— Laisse tomber. Allons-y, dit-elle en se baissant pour ramasser la lampe. Je t'éclaire, tu finis de changer le pneu, et avant de repartir nous changeons d'habits dans la voiture.

Il acquiesça d'un hochement de tête et se mit au travail. La tension entre eux ne s'était pas dissipée. Au contraire. Elle s'était même renforcée. Le reste du voyage promettait d'être délicat.

Nicole ne pouvait imaginer faire l'amour avec Dallas pendant que Malcomb serait peut-être en train d'égorger une jeune femme, quelque part autour de Shreveport.

Elle frissonna d'horreur. Pourvu qu'il soit resté à la maison, à écouler la colère qu'il éprouvait, à l'idée qu'elle était partie sans lui demander son accord ! Peut-être était-il déjà en train de penser au moyen de se débarrasser d'elle. La tuerait-il comme les autres ? Ou lui réservait-il un traitement spécial ?

A cette pensée, elle serra tellement fort la lampe torche que le faisceau de lumière se mit à trembler.

Une peur effroyable grandit en elle, d'autant plus effroyable qu'elle s'accompagnait de certitudes. Malcomb voulait la tuer, et s'ils ne trouvaient pas un moyen de l'arrêter il s'y emploierait. Et on découvrirait son corps dans un fourré.

Ronnie se retrouverait seul. Et elle n'aurait pas fait l'amour avec Dallas.

La maison de Jackson et Mildred Lancaster se trouvait en retrait de la route, au bout d'un chemin de terre boueux, bordé de broussailles envahissantes. Un panneau peint à la main indiquait l'entrée du garage Lancaster. Nicole aperçut une douzaine de carcasses de voitures abandonnées sur une pelouse, à gauche du panneau. Rouille, vitres cassées, tôles embouties.

La maison n'avait guère l'air plus brillante. L'extérieur était à l'image de l'écran antimoustique de la porte d'entrée, abîmé de toutes parts. Des lambeaux de peinture attendaient qu'on les fasse tomber, les volets penchaient à des degrés d'angle variés, et les vitres, quand elles étaient entières, auraient bien eu besoin du passage d'une éponge savonneuse.

Alors qu'ils approchaient, deux gros chiens noirs déboulèrent sur le chemin et se mirent à aboyer.

— Charmant accueil, fit remarquer Nicole.

— Les chiens qui aboient ne mordent pas, affirma Dallas.

— C'est comme dans les motels pas chers : les vieux matelas sont toujours confortables, dit-elle, reprenant le ton qu'il avait adopté, la veille, quand ils s'étaient réfugiés dans le premier motel venu. Tu en as beaucoup, des vérités comme ça ?

— J'aurais bien essayé « les chiens ne font pas des chats », mais si le vieil homme qui sort de la maison est bien le père de Malcomb le magnifique, toujours tiré à quatre épingles, alors le proverbe ne tient pas.

Nicole regarda l'homme. Plus petit que son mari, les épaules voûtées, il portait une chemise en flanelle, rentrée dans une salopette en jean recouverte de graisse. De sa poche arrière dépassait un chiffon rouge.

Il n'avait plus beaucoup de cheveux sur le crâne, mais arborait un collier de barbe touffu. Il s'accouda à la rambarde devant la véranda, et cracha un jet de salive.

— On a dû se tromper de maison, Dallas. Ou alors, ce sont les informations sur les parents de Malcomb qui sont erronées...

— Non, j'ai fait toutes les vérifications possibles auprès du shérif local. Il paraît que les Lancaster habitent ici depuis toujours. Par contre, le jeune shérif que j'ai eu au bout du fil ne se rappelait pas qu'ils avaient un fils.

— Pas étonnant. Si Malcomb dit que ses parents sont morts, c'est qu'il ne les fréquente plus depuis longtemps.

Dallas arrêta la voiture. La maison reposait sur des blocs de ciment, et le vieil homme descendit une douzaine de marches de bois pour les rejoindre. Il avançait avec difficulté, boitant de la jambe droite. Son visage buriné et ridé indiquait qu'il avait certainement dépassé les soixante-dix ans. Il fit signe aux chiens qui cessèrent aussitôt d'aboyer et allèrent s'allonger à l'ombre d'un arbre.

— Un problème de voiture ? demanda-t-il avant que Dallas n'ait ouvert la portière.

— Non. Notre voiture roule à merveille.

— Alors, vous êtes perdus. Y a pas mal de touristes par ici. Vous vouliez aller où ?

— Chez les Lancaster.

L'homme ouvrit de grands yeux, puis cracha de nouveau.

— Dans ce cas, vous ne vous êtes pas perdus. Qu'est-ce que je peux faire pour vous ?

— Vous êtes le père de Malcomb Lancaster ?

Il plissa les yeux et, s'approchant de la voiture, jeta un coup d'œil à l'intérieur.

— J'ai un fils, qui s'appelle Malcomb. Il est docteur. Vous le connaissez ?

— Moi non, mais madame, oui.

Nicole se pencha vers la vitre de Dallas.

— Je suis Nicole Lancaster, la femme de Malcomb.

Le vieil homme se frotta le menton d'un air incrédule.

— La femme de Malcomb ?

Apparemment, il tombait des nues.

— Oui. Et j'espère que je ne vous dérange pas. J'étais dans la région pour mon travail, et j'ai eu très envie de vous rencontrer. Malcomb m'a beaucoup parlé de vous.

Ce qui était vrai, à ceci près qu'il ne disait pas la vérité à leur sujet.

Jackson Lancaster finit par esquisser un sourire.

— Malcomb ne nous raconte trop rien. Ça fait longtemps que vous êtes casés ensemble ?

— Nous nous sommes mariés il y a dix mois. A Shreveport.

— Shreveport ?

— Oui, c'est là-bas que nous vivons.

— Ben, il a l'air d'avoir pas mal réussi dans la vie... Mais je suis bête, entrez donc, dit-il en se frappant la cuisse. Mildred ne va pas en revenir. Vous allez voir. Elle va vous préparer un poulet frit et elle va tellement vous poser de questions qu'au moment de passer à table la bête sera toute refroidie.

Nicole ouvrit la portière. Les deux chiens se redressèrent.

— Vous inquiétez pas, dit Lancaster. Ils ont l'air méchants, comme ça, mais ils ne mordent pas. Enfin, sauf si vous leur fichez un coup de pied dans le flanc. Mais autrement, ils sont doux comme des agneaux.

Dallas et Nicole sortirent de la voiture pour suivre M. Lancaster à l'intérieur. Dès qu'elle vit Mildred Lancaster, Nicole comprit de qui Malcomb tenait. Plus jeune que son mari, elle avait encore les traits fins, et ses yeux foncés illuminaient son visage.

Une fois les présentations faites, Mildred prit la parole :

— Alors, vous avez épousé mon petit et vous vouliez nous voir ? Vous savez, mon Malcomb, c'est la meilleure chose qui nous soit arrivée, mais il ne vient pas souvent nous voir. Parlez-moi donc de lui.

Nicole se concentra sur les éléments positifs. Son travail à l'hôpital, la réussite de sa carrière. Mildred buvait ses paroles. Nicole se sentait mal à l'aise de s'être présentée à eux sous un fallacieux prétexte, surtout maintenant qu'elle voyait que sa visite causait un tel plaisir à Mme Lancaster. Il était incroyable de la voir réclamer des nouvelles de son fils avec tant d'empressement, alors que ce dernier ne prenait pas la peine de leur écrire.

Les Lancaster étaient d'une grande gentillesse.

Dans la maison régnait un désordre certain. Des piles de magazines, des vêtements accrochés un peu partout. L'ensemble paraissait cependant propre.

Au-dessus du poste de télévision, dans un cadre de bois verni, se trouvait une photo de leur fils. En blouse blanche, un stéthoscope autour du cou. Leur fils, le chirurgien.

Nicole eut une envie soudaine de partir en courant, le plus loin possible, sans se retourner. Mais elle se contint, et resta posément assise sur le canapé.

Les Lancaster ne correspondaient pas du tout à l'image que Dallas s'était faite. En réalité, ils ressemblaient beaucoup, par leur simplicité et leur chaleur, à ses propres grands-parents. Ce qui leur manquait, c'était leur fils adulte, qui brillait par son absence depuis plusieurs années apparemment. N'empêche qu'ils ne tarissaient pas d'éloges sur leur « petit ».

La conversation venait juste de commencer quand une vieille Chevrolet, avec le garde-boue avant déglingué, apparut dans l'allée. Jackson Lancaster s'excusa auprès d'eux puis partit accueillir son client. Mildred resta seule avec eux et continua de parler.

— On n'avait pas assez d'argent pour l'envoyer à l'université, mais il a obtenu une bourse. Pour vous dire comme il est futé, il a obtenu la meilleure moyenne à l'examen d'entrée.

Dallas se pencha en avant pour se rapprocher de Mildred.

— Malcomb est votre fils unique ?

— Oui.

Elle jeta un coup d'œil troublé en direction de Nicole puis revint à Dallas, les sourcils froncés.

— Oh, je peux bien tout vous raconter... D'ailleurs, Malcomb a déjà dû le faire. Je n'étais pas mariée quand

213

je suis tombée enceinte. Mes parents m'ont jetée dehors et c'est Jackson qui m'a recueillie. Après, on s'est mariés. Jackson a toujours été comme un père pour Malcomb, mais ce n'est pas son vrai papa.

— Alors qui est-ce ?

— Je préfère ne pas le dire. Il était marié. Un bel homme, séducteur et malin. Comme Malcomb. Je n'ai fait qu'une bêtise dans ma vie, mais elle était de taille. Heureusement, grâce à Jackson, je m'en suis bien sortie. J'étais toute jeune quand j'ai eu mon fils, mais ça ne m'a pas empêchée de l'aimer.

— Est-ce que Malcomb est au courant, pour son père ?

— Je lui ai tout raconté quand il avait dix ans. Je me suis dit qu'il était assez grand pour connaître la vérité. Jackson lui a donné son nom et l'a élevé comme son fils. On aurait voulu avoir d'autres enfants, mais ça n'est jamais arrivé.

— Votre mari a été un bon père pour votre fils, dit Nicole.

— Oh, il était merveilleux !

Mais son expression changea.

— Seulement, Malcomb n'était pas toujours très gentil avec lui, ajouta-t-elle d'une voix triste. Quand il se mettait en colère, il le traitait de vieux débris et remerciait le ciel de ne pas avoir de son sang dans les veines.

Elle agitait nerveusement les mains.

— Malcomb ne pensait pas ce qu'il disait, évidemment.

— Oui, les enfants sont cruels parfois.

— Oh, ce n'était pas de la cruauté. Il ne pensait vraiment pas ce qu'il disait. Des fois, il s'emportait même contre moi. Il disait que la maison ressemblait à une porcherie. Et quand on se disputait, avec mon mari ou contre lui, il sortait aussitôt après nous chercher des fleurs dans le pré. Vous voyez, c'était un bon petit.

— Il devait avoir beaucoup d'amis, dit Dallas.

— Il aurait pu en avoir des tas, mais il n'était pas du genre à traîner en ville. Il se plaignait de la bêtise de ses camarades de classe. J'imagine qu'il devait se sentir seul, lui qui était si intelligent. Un jour, l'un de ses professeurs nous a dit que Malcomb était un génie.

Brillant et asocial. Un profil qui correspondait bien à celui du tueur recherché. Mais les preuves manquaient toujours, se dit Dallas.

— Votre fils devait être un sacré bourreau des cœurs, lança Dallas, espérant faire parler Mme Lancaster.

— En dernière année, au lycée, il a eu une petite amie. Adorable et mignonne comme un cœur. Oh, je ne devrais pas vous raconter ça, Nicole…

— Au contraire. J'adore qu'on me parle de Malcomb et je ne suis pas jalouse de son passé. Maintenant, il est à moi.

Dallas fut étonné de voir avec quelle facilité Nicole s'adaptait à la situation. Ils avaient discuté ensemble au petit déjeuner de la marche à suivre, mais il n'aurait pas imaginé qu'elle serait si douée pour cette opération que Corky appelait « appât avec du miel ».

Mme Lancaster se pencha vers Nicole et, lui posant la main sur le genou, reprit :

— Il a beaucoup de chance de vous avoir. En fait, vous me rappelez Tammy. C'était le prénom de sa petite amie. Tammy Sullivan. Sa famille était riche, mais elle n'était pas bêcheuse pour un sou. Elle avait la même couleur de cheveux que vous, et de beaux yeux comme les vôtres. Une brave fille. Il était fou d'elle.

Elle secoua la tête et baissa les yeux, comme pour se remémorer un souvenir difficile.

— Que s'est-il passé ?

— Après le lycée, elle est partie à Shreveport, pour commencer les cours d'été. Elle n'a pas voulu attendre la rentrée normale de septembre. Et puis, un week-end, elle est rentrée voir ses parents et elle s'est fait assassiner. J'en ai des frissons rien que d'y penser… C'était tellement horrible ! Son corps a été retrouvé dans la propriété de ses parents, au bord d'un ruisseau. Lacérée de coups de couteau. Comme si un fou s'était amusé à effectuer des mouvements de va-et-vient sur son corps avec une lame affûtée.

— Est-ce qu'on a arrêté le meurtrier ?

— Non, l'affaire n'a jamais été résolue. Le père de Tammy était persuadé que c'était un journalier qui avait travaillé pour lui. Mais ils n'ont jamais trouvé de preuves contre lui. Bref, cette histoire a failli détruire mon Malcomb. Il ne sortait pratiquement plus de sa chambre, après ça. On en oubliait presque qu'il vivait sous notre toit. Un jour, il est parti pour l'université à Little Rock, et après, on ne l'a plus beaucoup revu. J'imagine que Monticello lui rappelait de trop mauvais souvenirs.

— On peut comprendre, dit Dallas en jetant un coup d'œil à Nicole.

Elle avait le visage pâle, et il sut tout de suite à quoi elle pensait. Mieux valait ne pas prolonger la torture.

Ils restèrent encore quelques minutes, puis arriva le temps de prendre congé. Après avoir quitté Mme Lancaster, ils allèrent trouver son mari pour le saluer. Chacun à son tour, les parents de Malcomb serrèrent Nicole dans leurs bras et lui firent promettre de revenir les voir.

Une promesse qu'elle ne pensait pas pouvoir tenir.

*
**

Nicole, la tête appuyée contre la vitre de sa portière, pensait aux Lancaster. Quelle erreur avaient-ils pu commettre pour avoir un fils comme Malcomb ?

— Est-ce que tu regrettes de m'avoir accompagné ? demanda Dallas, brisant le silence.

— Un peu. Je ne sais pas comment tu fais pour supporter ces meurtres et ces atrocités, jour après jour, enquête après enquête.

— J'aime mon métier. Pas les meurtres, bien sûr. Mais j'aime avoir des énigmes à résoudre. Et j'aime croire que mon travail sauve des vies.

— Je ne pourrais jamais m'y habituer, moi. C'est trop dur... Tu imagines la douleur des Lancaster, si Malcomb s'avérait être le tueur en série ?

— On n'y peut rien.

— D'après toi, il a tué Tammy Sullivan ?

— Il y a des chances, oui. Et c'est sans doute ce qui a déclenché la pulsion meurtrière.

— Tu ne crois quand même pas qu'il a tué des femmes régulièrement pendant toutes ces années sans se faire prendre ?

—Non, ce n'est pas vraisemblable. Ce genre de pulsion peut rester endormi pendant longtemps au fond d'un esprit malade. Et puis, un jour, un événement le réveille, et là, le pire peut arriver.

Dallas posa le bras sur l'appuie-tête de Nicole, puis lui caressa le cou du bout du pouce.

Elle pencha la tête en arrière et ferma les yeux. Elle se replongea dans la scène qui s'était déroulée sous la pluie. Elle ne put s'empêcher de sourire.

Dès qu'elle se trouvait avec lui, elle se sentait entière.

— Dallas, que s'est-il passé il y a neuf ans ?

— Qu'est-ce que tu veux dire ?

— Qu'est-ce qui t'a fait fuir ? J'ai fait quelque chose qui t'a déplu ? Ou avais-tu une autre femme en tête ?

Il retira sa main et, fronçant les sourcils, resta fixé sur la route.

— Ce n'est pas le meilleur moment pour discuter de ça.

— Je suis d'accord. Le meilleur moment est passé depuis longtemps.

Il soupira et, le visage soucieux, se tourna vers elle.

— Tu ne vas pas aimer mon explication.

— J'en suis sûre. Mais je veux l'entendre.

Elle en avait impérativement besoin, même si cela faisait resurgir toute la douleur qu'elle avait alors éprouvée. Et à voir l'air triste qui imprégnait le regard de Dallas, elle comprit qu'elle ne manquerait pas d'être accablée.

15.

Ils venaient de passer devant un panneau signalant une aire de repos à la prochaine sortie. Pour Dallas, le sujet qu'ils allaient aborder était trop important pour qu'ils continuent à rouler. Aussi, il mit son clignotant et s'engagea dans la voie de droite. A présent, il devait organiser ses idées pour les rendre cohérentes.

A bien y réfléchir, il préférait avoir à poursuivre un tueur sept jours sur sept, vingt-quatre heures sur vingt-quatre, que d'aborder ce genre de discussion avec une femme comme Nicole. Non seulement il n'avait jamais compris ce qui s'était passé en lui à l'âge de vingt et un ans, mais rien n'avait changé depuis, et il était toujours incapable de sonder ses sentiments.

Il n'y avait guère que les symptômes qu'il pouvait analyser. Respirer, parler, marcher — toutes ces choses qu'il accomplissait sans réfléchir — demandaient un véritable effort de concentration dès que Nicole se trouvait dans les parages. De même, les fantasmes qui sommeillaient en lui pendant une journée de travail ordinaire avaient le don de se réveiller, jusqu'à l'obséder, dès qu'il sentait le parfum de Nicole.

— Tu n'as qu'à me dire la vérité, Dallas.

La vérité.

Le mot lui sembla tellement solennel. Et puis, il n'était pas certain de la connaître, cette vérité. Il n'avait pas voulu revoir Nicole pour une raison bien précise, mais quelle valeur avait une telle raison, aujourd'hui ? Des erreurs, il en avait commis, et toutes n'avaient pas une justification aussi solide. Mais, en disant franchement les choses, ne ferait-il pas souffrir davantage Nicole ?

Il ralentit et longeait la zone de parking, à la recherche d'une place. Là, à l'ombre des arbres, ils seraient bien. Il coupa le moteur, puis baissa son siège vers l'arrière.

Il s'appuya sur un coude pour se tourner légèrement vers elle, sans la moindre idée de ce qu'il devait faire à présent.

— Nicole, je ne sais pas exprimer mes sentiments. Je souffre même d'un gros problème de vocabulaire, en la matière. Alors, attends-toi à entendre du charabia…

— Je veux juste savoir ce qu'il y avait de si horrible pour toi, dans cette nuit que nous avons passée ensemble.

— Horrible ? Comment peux-tu penser une chose pareille ?

— Tu n'as pas cherché à me revoir, après. Et tu n'as jamais répondu à mes appels.

— J'avais vingt et un ans, je me prenais pour un rebelle solitaire… Je ne savais pas trop ce que je faisais.

— Arrête ! Tu devais bien avoir une bonne raison pour me laisser tomber, non ?

— De toute façon, si on avait continué, tu n'aurais pas mis longtemps à me plaquer. Toi, tu avais tout. Moi, j'étais sans avenir.

— Ce n'était pas l'impression que j'avais.

— Tu me voyais comment ?

— Plein de charme, téméraire, intelligent. Tu connaissais tout en politique.

— Pas difficile. On ne parlait que de ça chez moi.

Il s'était exprimé, sans le vouloir, avec amertume. Ainsi, malgré les années, il ne s'était pas entièrement débarrassé de sa rancune. Etait-ce possible ?

— Tu te souviens que ma mère était l'assistante de ton père ? reprit-il en tâchant de maîtriser le ton de sa voix. C'est comme ça que j'ai été embauché pour la campagne de réélection, cet été-là. Par piston.

— Je croyais que tu étais là parce que tu voulais te lancer dans une carrière politique.

— Tu parles ! J'avais abandonné la fac. Tout ce qui m'intéressait, c'était de payer les traites de ma Harley, de faire taire ma mère, de m'amuser à fond et sortir avec des filles. Pas forcément dans cet ordre, d'ailleurs.

— Pour un garçon intéressé par les filles, tu as bien résisté à mes avances.

Tout allait de travers, comme il l'avait craint. Comment la convaincre ?

— Crois-moi, Nicole, si je ne t'ai pas rappelée, ce n'était pas faute d'être attiré par toi. Dès que je t'ai vue, j'ai ressenti quelque chose de très fort. Je suis tout de suite tombé sous le charme. Regarde-toi. Ton visage, ta peau, ton corps... Comment pourrait-on résister ?

— Alors, c'est que je n'étais pas ce que tu recherchais.

— Oh, si ! Tu étais même trop bien ! Mais les rebelles, ça refuse de se caser.

— Tu as préféré ta vie de jeune homme immature plutôt que de continuer avec moi ?

— Oui... Je me baladais sur ma Harley et je buvais des coups avec mes copains. C'était ma vie.

— Je me souviens, maintenant. Mon père m'avait dit à quel point ta mère était désolée que tu aies abandonné tes études. Mon père et ta mère étaient très proches. Avec tous les voyages qu'ils faisaient ensemble, après le divorce de ta mère, j'imagine que…

Nicole s'interrompit en milieu de phrase et regarda Dallas avec des yeux stupéfaits.

— Mon père avait une liaison avec ta mère, c'est ça ? Et c'est pourquoi tu t'acharnais à jouer les mauvais garçons ? Tu étais en colère contre ta mère, et mon père…

Il sentit les muscles de son visage se contracter. Comment, après tout ce temps, les émotions associées à cet été pouvaient-elles être encore aussi vives ? Et comme il se détestait pour ça !

— C'était il y a longtemps, Nicole. Ce n'est plus la peine d'y repenser.

— Je savais pourtant qu'ils étaient très unis, mais jamais je n'avais réalisé qu'ils étaient amants !

— J'aurais préféré que tu ne le saches jamais. Tu vouais une telle admiration à ton père…

— Mon père n'était pas un saint. C'était même ce qui faisait son succès. Mais comme père, il était formidable. Je suis seulement très triste de savoir qu'il t'a fait du mal. Quand as-tu découvert qu'ils avaient une liaison ?

— Pendant les vacances de Noël précédentes. Je suis passé par le QG et je les ai surpris en train de s'embrasser avec passion.

— Pas étonnant que tu aies tout envoyé balader après, les études avec. Et ensuite, tu es venu travailler au QG, et moi, je t'ai dragué comme une folle. Oh, mais…

Son visage avait soudain gagné en gravité.

— Tu n'as quand même pas fait l'amour avec moi pour te venger de mon père ? Hein, Dallas ? Dis-moi qu'il y avait autre chose que de la vengeance pour toi, ce soir-là…

222

L'angoisse qui vibrait dans sa voix le glaça. Il se pencha vers elle, et posa la main sur son épaule.

— Je ne voulais pas te faire l'amour, je ne voulais pas tomber amoureux de toi. Mais c'était plus fort que moi ! J'avais tellement envie de toi que, si on n'avait pas fait l'amour ce soir-là, j'aurais explosé !

— Oh, Dallas ! Pourquoi ne m'as-tu pas dit ce qui se passait ? J'aurais pu comprendre ta colère, et j'aurais moins souffert. J'ai pleuré toute une semaine. J'étais détruite. C'est Janice qui s'est occupée de moi. Tu comprends maintenant pourquoi elle te déteste.

— Moi aussi, je me détestais. En fait, il a fallu qu'un type en voiture brûle un feu rouge et me fasse tomber de ma Harley pour que je me reprenne en mains. C'est en frôlant la mort que j'ai voulu vivre.

— Mon père ne m'a rien dit.

— Normal. Il ne savait pas. Quant à ma mère, elle ne travaillait plus pour lui. Je ne sais pas ce qui s'est passé entre eux, mais pour elle, tout s'est bien fini. Elle s'est remariée et elle est très heureuse. Et mon père aussi. Avec le recul, j'ai compris que la liaison de ma mère avec ton père n'était qu'un symptôme. Mes parents auraient fini par divorcer, de toute façon. Ce qui m'a fait le plus mal, finalement, c'est de voir que tu réussissais très bien sans moi.

— C'est faux. J'ai seulement continué à vivre. Il le fallait. Mais je n'ai jamais ressenti de passion aussi intense que celle que nous avons connue ensemble. Avec toi, je me sentais voguer sur des sommets que je n'ai plus jamais atteints.

— Jusqu'à ce que tu rencontres Malcomb.

— Non. Pas même avec lui. J'aimais Malcomb quand je l'ai épousé. Ou du moins, j'aimais l'homme qu'il prétendait

223

être. Et si tout s'était bien déroulé, j'aurais passé ma vie avec lui. Mais ça n'a jamais été aussi fort qu'avec toi.

Elle se glissa contre lui et il la serra dans ses bras. Il souffrait de tout le temps qui s'était écoulé sans elle, mais c'était une torture douce, sans rapport avec celle qui l'avait tourmenté quand il pensait l'avoir perdue pour toujours.

— Peut-être que c'était notre destin, après tout, fit-elle remarquer. Etre séparés pour que notre histoire soit encore plus forte.

— Tu parles d'un destin ! A cause de moi, tu te retrouves mariée à un pervers, et peut-être à un tueur en série.

— J'essaye simplement d'être positive.

— En tout cas, quand nous serons à Shreveport, je vais exiger que Malcomb fasse l'objet d'une étroite surveillance, jour et nuit. Au moindre faux pas, on lui tombera dessus. De ton côté, je veux que tu me promettes de quitter cette maison au plus vite.

— C'est ma maison, Dallas. Celle de ma famille. C'est Malcomb qui doit partir.

— Est-ce qu'il partira, si tu le lui demandes ?

Elle lui lança un regard qui valait toutes les réponses.

— Je m'en doutais. Donc, tu n'as pas le choix.

— Je pourrais m'installer chez Janice, mais elle pensera que je suis devenue folle. Je la vois bien aller tout raconter à Malcomb, en croyant bien faire.

— Tu n'as qu'à venir chez moi, Nicole. Tu y seras sous bonne protection.

— D'accord, en amis. Pour le reste, j'ai besoin de temps.

— On fera comme tu voudras.

Elle lui caressa la joue d'une main tendre. Un geste simple qui le fit réagir intérieurement.

— J'espère au moins que tu ne ronfles pas ? demanda-t-elle avec un sourire taquin.

Il fit semblant d'être vexé. En vérité, il était doublement soulagé. Parce qu'elle arrivait encore à plaisanter. Et surtout parce qu'elle avait accepté de quitter sa maison.

Ce sentiment de réconfort qui se répandait en lui fut tempéré par la difficulté du défi qu'il aurait à relever, en tant qu'homme. Elle serait là, à sa portée, mais il devrait refréner toute envie de la toucher, de l'embrasser, de lui faire l'amour.

— A quoi tu penses, Dallas ? On dirait que quelque chose ne va pas…

— Non, rien. Il faut juste qu'on évite la pluie.

Il était 14 h 30 quand Dallas déposa Nicole chez elle. Il reviendrait la chercher vers 17 heures, une bonne heure avant que son mari ne rentre du travail. Elle aurait tout le temps de préparer ses affaires. Dallas, lui, irait au commissariat pour décider son supérieur à mettre en place une surveillance autour de Malcomb.

S'installer chez Dallas. Elle se le répétait à voix haute, pour tenter d'y croire. Pendant longtemps, elle en avait rêvé, comme d'un beau projet, plein de joie et de soleil. Aujourd'hui qu'elle vivait un cauchemar, son rêve se réalisait.

N'était-ce pas un beau paradoxe ?

De toute façon, elle n'avait pas le choix. Comment pouvait-elle rester sous le même toit que Malcomb ? Qu'il soit ou non le dangereux criminel qu'elle croyait, cela ne changeait rien. Elle ne voulait plus qu'il la touche. Ni même qu'il l'approche. Que lui restait-il comme possibilité, sinon la fuite ?

Quelques affaires suffiraient. Deux ou trois jeans, des chemises, de la lingerie pour plusieurs jours, et le pyjama le moins sexy de sa commode. La liste était déjà bouclée dans sa tête quand elle arriva dans sa chambre à coucher.

Elle sortit du placard un sac de voyage, le jeta sur le lit, et l'ouvrit. La sonnerie du téléphone l'interrompit dans ses préparatifs. Le cœur palpitant, elle regarda l'appareil. Sans doute Malcomb. Le pire, c'est qu'il devait se douter de ce qu'elle tramait. Elle s'avança. Sur l'écran digital apparut le numéro de l'institution où se trouvait Ronnie. Nicole décrocha aussitôt.

Mais ce n'était pas la voix de Ronnie qu'elle entendit.

— Madame Lancaster ?

— Oui, c'est moi.

— Bonjour, Nicole. C'est Tilda. Je n'ai pas de bonnes nouvelles.

— Quoi ? Ronnie est malade ?

— Non, non. Ne te fais pas de mauvais sang, je suis sûre qu'il va bien. C'est juste qu'il a disparu.

— Disparu ?

Nicole se laissa tomber sur le bord du lit.

— Il jouait au basket dans le jardin après le déjeuner. Quand je suis sortie pour lui dire de venir débarrasser, il n'était plus là. A mon avis, il est parti se promener sans réfléchir. Il ne doit pas être très loin.

— Il ne fait jamais ça.

— Je sais, c'est la première fois. On vient d'appeler la police. J'ai préféré te prévenir tout de suite, mais je ne veux pas que tu t'affoles. Je t'appelle dès qu'on a du nouveau.

Nicole comprit alors que la disparition de Ronnie pouvait très bien être l'œuvre de Malcomb. Son mari, un menteur, un pervers, pouvait très bien avoir décidé d'enlever un jeune autiste pour se venger du départ de la maison de son épouse.

Nicole se sentait à deux doigts d'envoyer contre le mur tous les objets à sa portée. Mais elle se devait d'être forte. Elle reprit le téléphone pour appeler Dallas. Il n'était plus nécessaire, désormais, qu'il vienne la chercher. Tant qu'elle n'aurait pas de nouvelles de Ronnie, elle ne bougerait pas de chez elle. De plus, son frère connaissait le numéro de la maison et pourrait tenter à tout moment de l'appeler.

Malcomb avait toutes les cartes en main. Comme depuis le début, le jour de leur première sortie, qui n'était qu'une étape de son plan. Elle ne comprenait pas pourquoi il avait eu tant besoin d'elle dans sa vie. Il devait sans doute y avoir une raison.

Une raison qui n'avait rien à voir avec l'amour.

— Dépêche-toi, Ronnie. Le temps presse.

— Ronnie aime pas ici. Ronnie veut rentrer maison. Rentrer maison.

— Malheureusement, Ronnie, tu n'iras pas à la maison. Tu iras bien quelque part, car toutes les âmes vont quelque part, mais ce ne sera pas à la maison.

Malcomb poussait Ronnie sur le chemin en friche qui menait au vieux cabanon de pêcheur qu'il avait acheté, dès son arrivée à Shreveport, à un patient qui avait besoin de liquide pour s'acheter sa drogue. On ne risquait pas de le voir de la route, car il était situé en retrait, au milieu d'un bois. Du lac non plus, il n'était pas visible, ce qui arrangeait Malcomb, qui pouvait ainsi se livrer à ses activités sans craindre d'être dérangé. Il avait retapé le cabanon et c'était là qu'il réunissait son petit monde, sur invitation seulement, pour les séances photo.

— Appeler Nicole. Malcomb appeler Nicole.

— Pourquoi j'appellerais cette traînée, hein ? Elle se fiche bien de toi ! Et de moi aussi. Il n'y en a plus que pour son copain flic. Elle passe ses nuits avec lui, tu sais. Mais ne t'inquiète pas. Je la trouverai et je la ramènerai ici.

— Hou-hou, hou-hou… Un moustique. Un moustique noir. Plein.

Ronnie secouait la tête pour se dégager du nuage de moucherons qui s'était abattu sur son visage.

Les hululements monocordes de Ronnie commençaient à taper sérieusement sur les nerfs de Malcomb. Heureusement, il n'avait pas oublié de se munir de plusieurs injections de barbituriques. Une bonne dose, et Ronnie redeviendrait supportable. Assez pour l'endormir profondément jusqu'à l'arrivée de Nicole, mais pas trop pour ne pas le tuer tout de suite. Malcomb voulait que leur mort se déroule en famille.

Jusqu'ici, tout s'était passé à merveille. Bientôt, il apprendrait à Nicole ce qu'une vraie femme accepte de faire pour son mari. Il se servirait de ses instruments pour la démonstration. Et puis, comme pour les autres, il glisserait en elle une lame tranchante pour qu'elle comprenne, à son tour, ce que c'était que de souffrir.

La jolie, parfaite et adorable petite femme. Décorative à son bras. Touchante au lit. Mais sa vraie place, c'était au fond d'un cercueil.

Il resterait seul. Avec l'argent, la propriété, et toute la liberté possible pour poursuivre sa carrière. Veuf, il n'aurait plus que les avantages d'avoir épousé la fille de Gerald Dalton.

Son plan pour se venger du sénateur, l'homme qui lui avait volé Tammy, avait réussi. Comme le dit le proverbe, « tout vient à point pour qui sait attendre ».

Nicole tournait en rond dans sa maison. Dallas avait promis que les policiers retrouveraient Ronnie, et elle savait qu'il y mettait toute son énergie, mais il n'avait toujours pas rappelé. Et cette absence de nouvelle devenait de plus en plus difficile à supporter.

Elle avait essayé de joindre Malcomb à l'hôpital, mais la secrétaire lui avait dit qu'il ne s'était pas senti bien dans la matinée, et qu'il avait pris son après-midi pour se reposer. Nicole avait ensuite appelé sur le portable de Malcomb. En vain.

Non ! Il ne fallait pas qu'elle se représente le pire ! Malcomb devait bien avoir gardé une once de pitié en lui. Il ne s'en prendrait pas à Ronnie, qui était sans défense.

Elle jeta un coup d'œil à l'horloge sur la cheminée. Les secondes, les minutes passaient. Mais personne n'appelait. L'attente était insoutenable. Elle se prenait les pieds dans le tapis, se tordait les doigts. Elle devenait folle d'angoisse. Pour tenter de se calmer un peu, elle partit dans la buanderie où elle entreprit de trier le linge sale. D'un côté, le blanc, de l'autre les couleurs foncées. Une occupation qui ne demandait aucune réflexion. Pourtant, elle se surprit à s'attarder sur chaque vêtement, comme si elle le voyait pour la première fois. Elle ramassa le pantalon en coton gris de Malcomb. Il l'avait mis le week-end précédent pour aller faire des courses.

Machinalement, elle plongea la main dans les poches et tomba sur des pièces de monnaie et une clé. Une petite clé en métal, comme celles qui servent pour les valises ou les tiroirs.

Elle sauta au-dessus des piles de linge, courut dans la cuisine, attrapa la clé de l'atelier accrochée derrière la porte. Puis elle continua sa course à l'extérieur, jusqu'à ce qu'elle se retrouve en haut des marches alors qu'elle n'avait pas le souvenir de les avoir montées. Là, le cœur battant la chamade, elle introduisit la clé dans la serrure et ouvrit la porte.

Sans se préoccuper du bureau cette fois, elle entra directement dans la chambre noire. Elle l'avait déjà inspectée mais, vu la quantité de boîtes et de fournitures qui y était stockée, elle aurait pu passer à côté d'un indice. Contente d'avoir trouvé le moyen d'exprimer sa colère, elle commença à fouiller partout, jetant derrière elle tout ce qu'elle avait inspecté. Au bout d'une demi-heure de travail, la pièce était totalement sens dessus dessous. Mais elle ne trouva rien.

Fatiguée, au bord des larmes, elle se laissa glisser à terre devant le bureau, et s'allongea de tout son long, le visage contre le sol. Pourquoi ce cauchemar n'en finissait-il pas ? Prise de rage, elle frappa du poing sur le tapis. Une fois. Deux fois. Elle entendit un craquement et sentit sous ses doigts que, sous le tapis, une planche du parquet s'était enfoncée.

Elle poussa le tapis et, quand le parquet fut dégagé, la planche enfoncée révéla un trou.

Elle plongea la main à tâtons et sentit sous ses doigts une boîte métallique. Elle la sortit et la posa entre ses jambes. La boîte rectangulaire était assez grande pour contenir du papier format A4.

Elle mit la petite clé dans le loquet qui s'ouvrit sans difficulté et souleva le couvercle.

Visiblement, il y avait deux formats de photos. Des petites et des grandes. Les originaux et leur agrandissement. Malgré la nausée qu'elle sentait monter, elle prit la première photo. Du bout des doigts.

La femme sur la photo, nue, avait une main derrière la nuque, et l'autre entre les jambes. Elle la reconnut. Son visage avait paru dans tous les journaux, souriant, plein de vie.

Luttant contre l'envie de vomir, elle se força à regarder les autres photos. Il n'y avait que des femmes dans des poses obscènes. Et toutes étaient mortes.

Dallas avait eu raison dès le début. Le tueur en série, c'était bien son mari.

Elle entendit un bruit derrière la porte. Quelqu'un s'apprêtait à entrer. La porte s'entrouvrit. Elle sentit l'odeur de son after-shave. Il était revenu. Elle était condamnée.

Une peur panique s'empara d'elle. Elle avait perdu la faculté de respirer, de regarder, de bouger. Prise au piège, comme les cinq malheureuses avant elle. Elle eut un sursaut d'énergie désespéré. Car sa destinée n'était pas de finir entre les mains d'un fou meurtrier.

16.

Nicole essaya de remettre les photos dans la boîte, mais ses mains tremblaient tellement que la moitié tomba à côté. La silhouette de Malcomb apparut, occupant tout l'espace dans l'embrasure de la porte. Fuir était impossible.

Elle se leva pour lui faire face. Il avait le visage convulsé de colère, et une respiration de taureau prêt à charger.

— Ainsi, tu ne te contentes pas d'être une traînée... Il faut aussi que tu ailles fouiner. Que diraient tous tes amis de la haute société, s'ils savaient qui tu es réellement ? Je te parie que ça choquerait ton oncle John et ta tante Gloria. Même Janice serait déçue.

Nicole entendait à peine ce qu'il disait.

— Où est Ronnie ? demanda-t-elle.

— Il t'attend. Il ne cesse de te réclamer. La maison lui manque.

— Où l'as-tu conduit ? Qu'est-ce que tu lui as fait ?

— Mais qu'est-ce que tu vas imaginer ? Je ne suis pas un monstre.

Les signes de furie sur le visage de Malcomb avaient disparu en clin d'œil. Il avait une expression neutre, à présent, et son regard semblait totalement détaché.

Elle donna un coup de talon dans les photos étalées à ses pieds.

— Malcomb, c'est toi qui as tué ces femmes. Pourquoi ?

— Elles ne méritaient pas de vivre.

— Et Karen ? Elle te faisait confiance.

— Elle aurait dû être plus prudente.

— Pourquoi avait-elle mon numéro de téléphone sur elle ?

— Elle voulait se venger de moi parce que je n'avais pas convaincu Jim de quitter sa femme. Elle avait menacé de te dévoiler l'existence du club photo. Apparemment, ce n'étaient pas des paroles en l'air.

— Alors, tu l'as tuée pour être tranquille ?

— J'ai tué des femmes, mais pas Karen. J'en ai seulement donné l'idée à Jim. Mais, lâche comme il l'était, il a fait n'importe quoi. Il aurait fini par tout avouer, et par me mettre dans un sacré pétrin si je ne m'étais pas occupé de lui à temps. Tu vois, Nicole, c'est moi le plus fort. Personne ne m'attrapera jamais. Surtout pas ton petit copain le flic.

Nicole parcourut rapidement la pièce du regard. Il lui fallait quelque chose pour se défendre. Malcomb était beaucoup plus vigoureux qu'elle, et elle ne ferait pas le poids face à lui.

Sur une étagère à portée de main, il y avait une cisaille de jardin. Elle reporta aussitôt le regard sur Malcomb.

— Conduis-moi à Ronnie.

— Mais je ne demande pas mieux.

Il fit un pas en avant. Elle bondit vers l'étagère, attrapa la cisaille, et commença à le menacer de l'arme. C'est alors qu'elle remarqua la seringue hypodermique qu'il serrait dans sa main. Avec un cri de rage, elle s'abattit sur lui, la pointe de la cisaille en avant. Elle vit du sang couler, puis sentit une piqûre violente dans son bras.

Elle devait continuer à se battre. Continuer... Mais ses efforts ne menaient à rien. Malcomb n'avait qu'une blessure superficielle. Il lui bloqua les poignets derrière le dos, l'empêchant de remuer pendant que le produit faisait son effet. Elle sentit ses membres s'engourdir.

Elle s'écroula au sol. Malcomb s'agenouilla, ramassa les photos dans la boîte et remit le tout dans la cachette spéciale qu'il s'était aménagée. Nicole ne pouvait rien faire pour l'arrêter, que regarder les indices qui disparaissaient les uns après les autres.

Il avait oublié une petite photo, dans les plis du tapis, à côté d'elle. Regroupant toutes les forces qui lui restaient, elle profita du fait qu'il lui tournait le dos pour saisir la photo et la glisser dans la ceinture de son pantalon.

Quand la pièce fut remise en ordre, Malcomb la releva, et, la tenant sous le bras, l'entraîna avec lui dans l'escalier, puis dans le garage. La suite n'était pas difficile à prévoir. Dallas viendrait la chercher chez elle, mais elle n'y serait plus. Malcomb la tuerait ainsi que Ronnie, et, comme les fois précédentes, il ne serait pas inquiété. Il avait raison de dire qu'il était le plus fort.

Les trophées étaient là, mais personne ne les verrait. Sa main, flasque, frappait contre sa poche. Se concentrant, elle fit glisser ses doigts dans la poche et en retira la petite photo qu'elle avait récupérée. Tendant au maximum de ses forces le bras en arrière, elle fit tomber la preuve, priant pour que Malcomb ne remarque rien.

Malcomb regardait droit devant lui. Au moins Dallas aurait de quoi faire arrêter Malcomb.

Elle avait épousé un monstre. Elle allait mourir en sachant qu'il ne ferait plus d'autres victimes après elle.

Il l'installa dans la voiture. Elle entendit un bruit sourd. Sa tête venait de s'abattre contre la vitre, sans qu'elle ait rien senti. Ses paupières se fermèrent. La main de son père vint se poser sur son épaule. Elle allait bientôt le revoir. Lui, ainsi que sa mère. Ils attendaient tous deux qu'elle les rejoigne, dans le monde où ils habitaient.

Mais elle n'irait pas. Pas tout de suite. Pas avant d'avoir dit au revoir à Ronnie et à Dallas.

Dallas faisait les cent pas dans le cube qui lui tenait lieu de bureau. Dans sa main droite, un téléphone. Dans sa main gauche, un deuxième téléphone. A sa disposition, il avait toute la technologie du XXIe siècle. Téléphone portable, radio, Internet. Sans compter l'aide d'une demi-douzaine de collègues qui arpentaient les rues de la ville à pied, en vélo, en voiture. Et malgré tout, il n'y avait pas moyen de mettre la main sur un jeune autiste disparu, ni sur un chirurgien fou à lier.

Il coupa la communication avec l'un des hommes de patrouille et se concentra sur son deuxième interlocuteur au bout du fil.

— Quoi de neuf ?

— Vous êtes l'inspecteur Mitchell ?

— Oui.

— Je m'appelle Sally Ann Leiderman, du poste de police de Monticello.

Il s'était attendu à du nouveau sur les recherches, et il lui fallut une seconde pour réagir.

— Qu'est-ce que vous m'avez trouvé ?

— Pas grand-chose de plus que ce vous avez déjà lu dans le rapport de police. Tammy Sullivan avait commencé à suivre les cours à l'université de Shreveport en même temps qu'elle travaillait pour un homme politique local.

— Son nom ?

— Gerald Dalton. A l'époque, il était conseiller municipal, mais à sa mort, il y a presque deux ans, il était devenu sénateur.

Dallas laissa échapper un sifflement de surprise dans le téléphone. Les choses prenaient une tournure intéressante.

— Combien de temps a-t-elle travaillé pour Dalton ?

— Quelques mois, pas plus. L'une de ses camarades de fac avait prétendu qu'elle avait une liaison avec Dalton.

— Un peu vieux pour elle, non ?

— Il avait quarante ans. Elle, dix-neuf. Il était veuf. Cela dit, la copine pourrait aussi avoir raconté des histoires. Lui, de son côté, a toujours nié.

— Elle avait bien un petit copain à Monticello ?

— Oui, un camarade de lycée. Je suis sûre qu'il n'était pas aussi excitant que Dalton. Il s'appelait Malcomb Lancaster. L'un des flics qui l'a interrogé pendant l'enquête travaille encore ici. Il se souvient d'un gamin complètement bouleversé. Quand on lui a dit que sa copine voyait quelqu'un d'autre, il a répondu qu'il n'était pas au courant et qu'il n'y croyait pas.

— Merci pour tous ces renseignements, répondit Dallas. Ils sont précieux.

Il raccrocha pour composer aussitôt le numéro de Nicole. Que la chose lui plaise ou non, il irait la chercher chez elle. Si Ronnie avait été en situation d'appeler, il l'aurait fait depuis longtemps. Mais plus l'heure tournait, plus les chances pour que Ronnie se soit perdu en ville s'amenuisaient. Aussi détestable soit-elle, il fallait bien se rendre à l'évidence. Ronnie avait été kidnappé par Malcomb-les-Mains-Propres.

Le téléphone sonna plusieurs fois. Comment se faisait-il que Nicole ne réponde pas, alors qu'elle attendait un coup de fil de son frère ou de lui ? Dallas tenta d'être patient, et laissa sonner encore. Le temps d'une éternité. Alors qu'elle aurait dû répondre à la première sonnerie. A moins que…

Le répondeur se déclencha. Mais Dallas avait déjà dévalé les escaliers du commissariat.

S'il arrivait trop tard, Malcomb irait-il en prison ? Ou le tuerait-il de ses propres mains, sans remords ni scrupules ?

Quand Nicole ouvrit les yeux, elle vit un plafond de bois avec une ampoule au milieu. Elle essaya de déglutir, mais sa bouche était trop sèche. Les yeux lui brûlaient aussi, comme si elle venait de traverser une tempête de sable. Si elle se levait, peut-être que…

La tête lui tourna et elle se sentit enfermée dans un corps en apesanteur.

— Debout, c'est l'heure de faire des étincelles. Debout, c'est l'heure de faire des étincelles.

La voix de Ronnie la ramena doucement à elle. Il répétait la phrase que leur père leur disait quand ils étaient enfants. Peu à peu, sa vision devint plus nette et elle mesura l'ampleur de l'horrible réalité. Elle tourna la tête pour voir Ronnie. Il était assis sur le sol, les poings liés derrière le dos, les chevilles attachées.

Elle voulut se lever. Impossible. Ce n'était pas seulement l'effet des barbituriques qui l'en empêchait. Comme Ronnie, elle était attachée, allongée sur un lit métallique. Les jambes écartées, attachée par les pieds et les mains aux barreaux à chaque extrémité, elle ne pouvait pas bouger.

— Ah ! La Belle au bois dormant ouvre enfin les yeux…

Elle leva le menton et vit Malcomb à quelques pas devant, un sourire effrayant aux lèvres. Il portait une blouse blanche et un stéthoscope autour du cou, comme s'il s'apprêtait à effectuer une opération chirurgicale. De ses poches dépassaient des instruments à fine lame : scalpel, ciseaux de chirurgien, et autres objets tranchants qu'elle ne connaissait pas.

Il s'avança, prononça quelques mots gentils à l'intention de Ronnie puis, sans crier gare, lui injecta le contenu d'une seringue dans le bras.

— Tu ne t'en sortiras pas cette fois, Malcomb.

Sa langue semblait deux fois plus grosse et plus lourde que d'habitude, et elle avait du mal à produire des sons distincts.

— Bien sûr que si, ma chérie. Je m'en sors toujours. N'oublie pas que je suis un chirurgien réputé. Qui me croirait capable de meurtre ?

— Dallas. Il sait tout à ton sujet.

— Non, ma chérie. Il sait tout sur toi. Tes caprices de dévergondée de luxe, ton mécontentement chronique, et ta soif d'aventures extraconjugales.

Ronnie émit un son étouffé, puis ses pieds glissèrent sur le sol. Le cœur de Nicole s'arrêta. Ronnie avait basculé sur le côté, le visage tourné vers elle. Il respirait encore.

Nicole essaya de gagner du temps.

— Pourquoi m'as-tu épousée, Malcomb ?

— Tu étais exactement la femme que je recherchais. Je l'ai su dès que je t'ai vue à l'hôpital, dans la chambre du sénateur. Tu représentais une belle consolation pour tous les péchés de ton père. J'aurais peut-être fini par t'aimer, avec le temps, si tu ne t'étais pas amourachée de cet imbécile d'inspecteur qui s'amuse à fouiller dans les affaires des autres.

Les péchés de ton père ? Que voulait-il dire ? Elle n'y comprenait rien.

— Je sais que tu vas me tuer, Malcomb. Mais ne fais pas de mal à mon frère. Il est innocent, tu le sais. Il n'a jamais fait de mal à personne.

— Très gentil, la tentative de la grande sœur. Seulement, moi, les trucs gentils m'énervent. J'attendais que tu reviennes à toi, ma chérie. Je te veux consciente mais engourdie au moment où j'enfilerai ces belles lames en toi. Je suis impatient de t'entendre hurler de douleur. Et puis, je veux que tu voies ton propre sang gicler de ton cou. Ce sera une belle agonie.

Nicole tremblait de tout son corps quand Malcomb s'assit sur le lit à côté d'elle. Il passa une main sur ses cuisses. Puis elle sentit une surface dure et froide remonter entre ses jambes. Et pour la première fois, elle se dit qu'il existait pire que la mort.

Dallas se trouvait devant la maison de Nicole, la photo que celle-ci avait laissée tomber, à la main. Il s'apprêta à entamer le sprint final.

Il entendit une voiture s'approcher derrière lui. Il se retourna. C'était Janice.

— Vous ici ! Quelle surprise ! s'exclama-t-elle avec ironie. Tu es devenu le garde du corps de ma cousine ou quoi ?

— Ecoute, Janice. Je sais que tu ne vas pas me croire, mais la situation est très grave. Malcomb a kidnappé Nicole et Ronnie, et il va les tuer. Malcomb est un tueur !

Elle ouvrit la bouche en grand, mais la referma aussitôt.

— Oh, non ! s'écria-t-elle avec une expression de douleur sur le visage. Bouge-toi, Dallas ! Tu es flic. Tu as une arme. Sauve-les !

— Je ne sais où aller les chercher. Aide-moi, Janice. Réfléchis à ce que tu sais sur Malcomb. Où pourrait-il bien emmener des femmes pour les tuer ?

— Des femmes ? Il y en a eu plusieurs ?

— Oui.

Elle lança un juron, puis se concentra, le regard dirigé vers la maison.

— Désolée, je ne vois pas.

— As-tu le numéro de téléphone de Mathilda sur toi ?

— Oui, dans mon sac.

— Vite ! La vie de Nicole se joue à la seconde près.

Quelques battements de cœur plus tard, Dallas attendait que Mathilda décroche, priant pour qu'elle soit chez elle. Enfin, elle répondit.

— Mathilda, écoute-moi. Il faut que je parle à Penny Washington. C'est une question de vie ou de mort.

— L'effet des barbituriques est presque dissipé, maintenant, dit Malcomb. Est-ce que tu es prête, ma chérie, pour notre dernière fois ensemble ?

Il se pencha sur elle et lui détacha les mains. Son aftershave lui donna la nausée. Elle eut envie de vomir. Il lui massa les poignets et elle sentit sa circulation revenir. Ensuite, il lui libéra les pieds et, se penchant sur elle, la prit dans ses bras comme si elle était un bébé.

— On va aller dehors, maintenant. Le sang, c'est très salissant, à l'intérieur. Et les taches sont tenaces.

Il mit sur elle une couverture, la porta à l'extrémité de la pièce et ouvrit la porte d'un grand coup de pied. La lumière du soleil l'aveugla après le temps passé dans la pénombre. Elle tenta de plisser les yeux pour distinguer les alentours. C'était impossible. Finalement, l'éblouissement se dissipa. Le ciel était bleu, les oiseaux chantaient, une légère brise soufflait dans les arbres feuillus. La gaieté du décor lui fit l'effet d'un appel à la vie. Elle essaya de bouger les bras. Rien. Une masse inerte impossible à remuer.

Malcomb la déposa sur un carré de plastique noir, de la taille d'une nappe. Elle vit le couteau dans sa main. La lame brillait au soleil. Ainsi, le moment était arrivé. Il allait la torturer, puis lui sectionner la carotide. Elle se viderait de son sang, sans pouvoir ne serait-ce que fermer les yeux.

Son cœur battait si fort qu'elle n'entendait plus les bruits extérieurs. La douleur allait bientôt la transpercer. Elle attendait. Tout d'un coup, elle vit Malcomb se redresser d'un bond, comme s'il avait été attaqué par un essaim d'abeilles. Le sol tremblait. Il lâcha le couteau, qui rebondit sur le ventre de Nicole avant de tomber sur le plastique.

Malcomb s'enfuit en courant. Elle voulut se lever pour aller voir Ronnie. Mais son corps était toujours paralysé. Elle réussit à distinguer, au loin, un rectangle foncé. C'était une voiture. Une voiture qui fonçait sur le chemin de terre.

Dallas freina un grand coup et bondit hors de son véhicule. Nicole était juste derrière un petit bouquet d'arbres. Encombrée d'une couverture, elle tentait de se traîner en direction du cabanon. Il courut vers elle, l'arme au poing, prêt à tirer.

— Mauvaise idée, inspecteur.

Il s'arrêta net. C'était bien la voix de Malcomb, plus aiguë et tremblante que d'habitude. Le psychopathe manipulateur avait perdu de sa superbe. Dallas se retourna lentement et vit Malcomb pointant une arme à feu sur Nicole.

— Pose ton revolver, Malcomb. C'est fini. La police est au courant de tout au sujet des femmes que tu as tuées, et de Tammy qui, croyais-tu, te trompait avec Gerald Dalton.

— Elle me trompait avec lui. Elle me l'a dit. Je l'aimais, et elle me racontait à quel point il était merveilleux au lit. Elle méritait de mourir. Pareil pour Dalton.

— Alors, tu t'es aussi occupé de lui, c'est ça ? Il était à l'hôpital, dans ton service. Tu as veillé à ce qu'il ne survive pas au pontage ?

— Il méritait de mourir. Vous aussi, vous méritez de mourir.

— Tu ne peux pas tous nous tuer, Malcomb. J'ai une arme, moi aussi, et si tu tires sur Nicole, je tirerai aussitôt sur toi. Et tu mourras.

Il vit Malcomb se mettre à haleter, devenir rouge de colère. Et Dallas comprit qu'il allait tirer. Pour le plaisir de tuer une dernière fois.

Malcomb appuya sur la détente. Dallas fit de même. Les coups de feu partirent en même temps, dans un bruit tonitruant qui secoua la forêt.

Malcomb s'effondra à terre en même temps que Dallas se précipitait vers Nicole. Il se jeta à terre et la prit contre lui. Sur ses doigts, il sentit un épais liquide chaud qui coulait. Il l'enveloppa dans la couverture et la souleva.

— Ne meurs pas, Nicole... Je t'en prie. Reste avec moi.

17.

Tout en faisant les cent pas dans la salle d'attente des urgences de l'hôpital, Dallas s'efforçait de se remémorer les événements de la journée jusqu'au dernier moment, là où tout s'était joué. Mais son esprit le ramenait constamment à Nicole, qui avait failli devenir la dernière victime de Malcomb.

Pendant quelques secondes, il avait cru que Malcomb avait tiré avec une précision égale à celle dont il faisait preuve dans le maniement du scalpel. Quand il avait vu Nicole s'écrouler sous l'impact de la balle, il avait ressenti une douleur infinie dans la poitrine, comme si son cœur se désintégrait sous l'effet d'une bombe.

La balle, cependant, ne l'avait qu'effleurée, laissant une blessure impressionnante, mais heureusement peu profonde.

Fin du voyage pour Freddie-les-Mains-Propres. Le tueur en série venu de l'Arkansas finirait ses jours en Louisiane. La balle de Dallas lui avait traversé la main droite. Blessure terrible pour un chirurgien. Mais en prison, il n'aurait guère de toute façon l'occasion d'opérer.

— Où est-elle, Dallas ? Où est Nicole ?

Dallas leva les yeux. Arrivait vers lui, dans un claquement de talons hauts contre le sol carrelé, Janice, totalement affolée.

— Le docteur est avec elle.

— Elle va bien ?

— Elle ira mieux ce soir. La blessure par balle n'est pas grave.

Il avait prononcé ces mots dans un soupir de soulagement, comme si le fait de les dire à haute voix le convainquait enfin.

— Et Malcomb ?

Il avait juste fini de la mettre au courant de la situation, quand les parents de Janice les rejoignirent. Ils restèrent tous les quatre se faisant part à voix basse de leur effarement. Dans cette réunion de famille, Dallas ne se sentait pas très à son aise.

Ils représentaient la famille, les intimes. Et lui, les forces de l'ordre. Ils l'avaient remercié à profusion d'avoir sauvé la vie de Nicole et celle de Ronnie, mais, à les entendre, il était clair qu'ils ne pouvaient pas imaginer qu'il puisse éprouver d'autres sentiments que ceux d'un policier ayant fait son devoir. Il préféra prendre congé pour aller vérifier que tout allait bien pour Ronnie, placé dans une chambre individuelle, sous la surveillance d'un médecin.

Alors qu'il s'apprêtait à sortir de la salle d'attente, une infirmière au visage sévère l'interpella.

— Inspecteur Mitchell ?

— Oui, c'est moi.

— Nicole Lancaster demande à vous voir. Elle va bientôt être emmenée au bloc pour une intervention mineure, mais le docteur a donné son accord pour que vous restiez avec elle jusque-là.

— Merci.

— Suivez-moi.

Janice et ses parents se précipitèrent vers la porte. L'infirmière les arrêta d'un signe de la main.

— Un seul visiteur. La patiente a appelé l'inspecteur.

Il tremblait intérieurement quand il entra dans la pièce où se trouvait Nicole. Il se rendit compte à cette occasion que l'amour peut faire peur.

Nicole sentit qu'on lui prenait la main. Elle ouvrit les yeux. Dallas se tenait debout devant elle, dans le contre-jour de la fenêtre. Dans la lumière blanche qui dessinait les contours de sa silhouette, il avait l'air extrêmement viril.

Plus viril encore qu'il y a neuf ans.

— Merci, dit-elle dans un murmure. Tu m'as sauvé la vie.

— Merci à toi d'être restée en vie.

— Comment va Ronnie ?

— Bien. Et il n'a pas l'air de se rappeler ce qui s'est passé. D'après les médecins, Malcomb lui avait injecté assez de sédatifs pour qu'il oublie ce qui lui arrivait.

— Heureusement.

Elle déglutit, le temps d'évacuer son émotion.

— Comment nous as-tu trouvés ?

— Grâce à ton amie Mathilda. Elle a téléphoné à sa belle-sœur et lui a dit que tu serais la nouvelle victime. Penny nous a alors donné les informations qui nous ont permis de retrouver ta trace.

— Savait-elle que Malcomb était le tueur en série ?

— Non. En revanche, elle avait deviné que Jim Castle était l'assassin de Karen. C'est Malcomb qui l'a convaincue de se taire. En lui disant que Jim pourrait leur faire du mal, à elle et à son fils.

— Pourquoi Jim a-t-il tué Karen ?

— Jim s'est débarrassé de Karen parce qu'elle le menaçait de tout révéler à sa femme. Il a donné rendez-vous à Penny. Elle croyait qu'il allait lui faire peur ou tenter d'acheter son silence, puisqu'elle savait que c'était lui le père de l'enfant, mais, contre toute attente, il l'a mise en garde contre Malcomb, qui, lui a révélé Jim, était prêt à tout pour qu'elle se taise au sujet du club photo. C'est là qu'elle a décidé de disparaître avec son fils. Mais Mathilda savait où la trouver.

Nicole se sentait l'esprit toujours embrouillé à cause des barbituriques.

— Je ne comprends toujours pas comment tu as fait pour nous retrouver, Ronnie et moi.

— Penny connaissait le cabanon pour s'y être rendue une fois avec Karen. C'était là que se déroulaient les séances de photos. Lorsqu'elle a vu le type d'activités auquel les participants se prêtaient, Penny a préféré ne pas y remettre les pieds. Malcomb lui a fait jurer à ce moment-là de ne rien dire à personne. Mais elle n'avait pas la conscience tranquille, et elle s'est alors décidée à te mettre en garde contre ton mari.

— Alors, le coup de fil anonyme, c'était elle ?

— Oui. Dans la même matinée, elle a aussi essayé de joindre Sara Castle, mais elle n'était pas chez elle. Et puis, quand elle a appris la mort de Karen, elle a été prise de panique, et a préféré obéir à Malcomb, suivant à la lettre tout ce qu'il lui demandait de dire.

— Y compris me rappeler à quel point j'avais un mari merveilleux, fidèle, compatissant avec les autres. En particulier avec Karen, la malheureuse, qui a passé des heures au téléphone avec lui, se trompant sur son compte.

— Exactement.

246

— Quel horrible manipulateur et quel pervers ! Comment se fait-il que je ne me sois aperçue de rien ? J'aurais pu éviter la mort de plusieurs jeunes femmes…

— Arrête de te torturer avec cela, Nicole. Tu n'aurais pas pu le savoir car ce genre de psychopathe, bien connu des psychiatres, est suffisamment intelligent pour compartimenter sa vie et ne laisser voir qu'un aspect de sa personnalité selon les gens qu'il côtoie.

Nicole repensa aux différentes raisons qui l'avaient amenée à épouser Malcomb. Dont l'une avait été de remplacer le vide laissé par son père. Quelle ironie ! Gerald Dalton avait été assassiné par celui qui aurait dû lui sauver la vie et devenir son gendre.

L'infirmière entra dans la pièce, la tirant de ses réflexions.

— Vous êtes prête ?

Elle fit oui de la tête et tourna la tête vers Dallas.

— Est-ce que tu seras là quand je me réveillerai ?

Dallas hocha la tête.

— Tant que tu voudras de moi, tu me trouveras à ton côté.

— Fais attention, je suis capable de te prendre au mot !

— Je n'attends que cela.

Il se pencha sur elle et déposa un tendre baiser sur ses lèvres, avant d'ajouter :

— Tu peux compter sur moi. Pour toujours. Et à jamais.

Nicole sut alors que, cette fois-ci, elle pouvait avoir confiance et que l'amour qu'elle éprouvait pour Dallas, et lui pour elle, ne demandait plus qu'à s'épanouir.

Chère lectrice,

Vous nous êtes fidèle depuis longtemps?
Vous venez de faire notre connaissance?

C'est pour votre plaisir que nous avons
imaginé un rendez-vous chaque mois
avec vos auteurs préférés, vos
AUTEURS VEDETTE dans les
collections Azur et Horizon.

Les AUTEURS VEDETTE vous
donneront rendez-vous pour de
nouveaux livres vedette.

Pour les reconnaître, cherchez
l'étoile... Elle vous guidera!

Éditions Harlequin

HARLEQUIN

LE FORUM DES LECTEURS ET LECTRICES

CHERS(ES) LECTEURS ET LECTRICES,

VOUS NOUS ETES FIDÈLES DEPUIS LONGTEMPS?

VOUS VENEZ DE FAIRE NOTRE CONNAISSANCE?

SI VOUS AVEZ DES COMMENTAIRES, DES CRITIQUES À
FORMULER, DES SUGGESTIONS À OFFRIR, N'HÉSITEZ
PAS... ÉCRIVEZ-NOUS À:

> LES ENTERPRISES HARLEQUIN LTÉE.
> 498 RUE ODILE
> FABREVILLE, LAVAL, QUÉBEC.
> H7R 5X1

C'EST AVEC VOS PRÉCIEUX COMMENTAIRES QUE NOUS
ALLONS POUVOIR MIEUX VOUS SERVIR.

DE PLUS, SI VOUS DÉSIREZ RECEVOIR UNE OU
PLUSIEURS DE VOS SÉRIES HARLEQUIN PRÉFÉRÉE(S)
À VOTRE DOMICILE, NE TARDEZ PAS À CONTACTER LE
SERVICE D'ABONNEMENT; EN APPELANT AU
(514) 875-4444 (RÉGION DE MONTRÉAL) OU 1-800-667-4444
(EXTÉRIEUR DE MONTRÉAL) OU TÉLÉCOPIEUR
(514) 523-4444 OU COURRIER ELECTRONIQUE:
AQCOURRIER@ABONNEMENT.QC.CA OU EN ÉCRIVANT À:

> ABONNEMENT QUÉBEC
> 525 RUE LOUIS-PASTEUR
> BOUCHERVILLE, QUÉBEC
> J4B 8E7

MERCI, À L'AVANCE, DE VOTRE COOPÉRATION.

BONNE LECTURE.

HARLEQUIN.

VOTRE PASSEPORT POUR LE MONDE DE L'AMOUR.

COLLECTION HORIZON

Des histoires d'amour romantiques qui vous mènent au bout du monde!

Découvrez la passion et les vives émotions qu'apportent à la Collection Horizon des auteurs de renommée internationale!

Captivantes, voire irrésistibles, ces histoires d'amour vous iront assurément droit au coeur.

Surveillez nos trois nouveaux titres chaque mois!

GEN-H-R

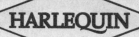

HARLEQUIN

COLLECTION
ROUGE PASSION

- Des héroïnes émancipées.
- Des héros qui savent aimer.
- Des situations modernes et réalistes.
- Des histoires d'amour sensuelles et provocantes.

LAISSEZ-VOUS TENTER
par 3 titres irrésistibles
chaque mois.

RP-1-R